THE TEACHING OF ADDAI

Society of Biblical Literature

TEXTS AND TRANSLATIONS EARLY CHRISTIAN LITERATURE SERIES

edited by
Robert L. Wilken
William R. Schoedel
Roberta Chesnut

Texts and Translations 16
Early Christian Literature Series 4

THE TEACHING OF ADDAI

translated by
George Howard

THE TEACHING OF ADDAI

translated by
George Howard

Scholars Press

THE TEACHING OF ADDAI

translated by
George Howard

Library of Congress Cataloging in Publication Data

Labubnā bar Sennāḳ.
The teaching of Addai.

(Early Christian literature series ; 4) (Texts and translations ; no. 16)
Translation of: Mallepānūtā d-Addai Shelīḥā.
"Syriac text appearing in this edition is a reprint of that found in George Phillips, The doctrine of Addai . . . (London: Trübner and Co., 1876)"–Introd.
Includes bibliographical references.
I. Howard, George. II. Series. III. Series: Texts and translations ; no. 16.
BS2900.A3L3213 229'.9 81-5802
ISBN 0-89130-490-8 (pbk.) AACR2

Printed in the United States of America
1 2 3 4 5
Edwards Brothers, Inc.
Ann Arbor, Michigan 48104

TABLE OF CONTENTS

INTRODUCTION

The Teaching of Addai, usually dated c. AD 400, is a Syriac account of King Abgar of Edessa (ostensibly Abgar V who ruled from 4 BC-7 AD and again from AD 13-50) and his contact with Jesus. Upon hearing from his servants that the Messiah was performing healings in Palestine, Abgar sends a letter to Jesus inviting him to come to Edessa to heal a certain illness that he has and to find refuge from the hostility of the Jews. Jesus receives the letter and sends word back to Abgar that his work here is finished and that he is ready to return to his heavenly Father. He informs him, however, that after he has ascended he will send one of his disciples to heal him. This disciple turns out to be Addai the Apostle, who according to Eusebius (*H.E.* 1.13) is to be identified with Thaddaeus, one of the Seventy disciples.[1] Addai comes to Edessa, heals Abgar, and establishes the church there. Much of the document is taken up with the teaching of Addai to the people of Edessa; hence the title, The Teaching of Addai.

The Abgar legend was very popular in the early church, especially the story about the exchange of correspondence between Jesus and Abgar [f. 3a-f. 3b]. It first appears c. AD 325 in Eusebius (*H.E.* 1.13.1-10) who says that Jesus upon receiving the letter of Abgar wrote a letter in reply. In the Teaching of Addai there is no mention of Jesus writing a letter. Addai says simply that Jesus sent a reply by Hanan, Abgar's archivist. Eusebius, however, affirms that both letters were to be found in the archives of Edessa. His statement on this is worth quoting.

> There is also documentary evidence of these things taken from the archives at Edessa which was at that time a capital city. At least, in the public documents there, which contain the things done in antiquity and at the time of Abgar, these things too are found preserved from that time to this; but there is nothing equal to hearing the letters

> themselves, which we have extracted from the archives, and when translated from the Syriac they are verbally as follows.
>
> *H.E.* 1.13.5 (Loeb)

Eusebius thereupon follows with a translation of the letters.

The story also appears in the sixth century Greek Acts of Thaddaeus and becomes widely disseminated in Armenian, Latin, Greek, Arabic, Persian, Coptic, and other languages.

The Syriac text appearing in this edition is a reprint of that found in George Phillips, *The Doctrine of Addai, The Apostle, Now First Edited in a Complete Form in the Original Syriac* (London: Trübner and Co., 1876). Phillips' text comes from a manuscript of the sixth century belonging to the "Imperial Public Library of St. Petersburg." There are two other copies of the Syriac Addai, both fragmentary, which belong to the British Library. They come from materials acquired in the last century from the Nitrian Monastery in Lower Egypt. Copy 1, comprised of one leaf only, is part of MS No. 14,654 at fol 33, and dates not later than the beginning of the fifth century. Copy 2 is part of MS No. 14,644 and dates about the sixth century. The dates were set by William Cureton who published both texts with translation in *Ancient Syriac Documents* (London: Williams and Norgate, 1864).

The present edition includes a new translation of the text with a few explanatory notes and a list of selected variant readings from Cureton's manuscripts supplementary to those listed in Phillips. A number of insignificant (mainly orthographic) variants have been left out. The translation attemtps to be loyal to the Syriac without being slavishly literal.

Selected Bibliography

L.-J. Tixeront, *Les origines de l'église d'Édesse et la légende d'Abgar. Étude critique suivie de deux textes orientaux inédits*. Paris: Maisonneuve et C. Leclerc, 1888.

J. P. P. Martin, *Les origines de l'église d'Édesse et des églises syriennes* (Extrait de la *Revue des sciences ecclésiastiques*). Paris, 1889.

Ernst von Dobschütz, *Christusbilder; Untersuchungen zur christlichen legende*. Leipzig: J. C. Hinrichs, 1899 (=*TU* 18).

__________, "Der briefwechsel zwischen Abgar und Jesus," *Zeitschrift für wissenschaftliche Theologie* 43 (1900) 422-486.

F. C. Burkitt, *Early Eastern Christianity*. London: J. Murray, 1904.

Herbert C. Youtie, "A Gothenburg Papyrus and the Letter to Abgar," *Harvard Theological Review* 23 (1930) 299-302.

__________, "Gothenburg Papyrus 21 and the Coptic Version of the Letter to Abgar," *Harvard Theological Review* 24 (1931) 61-65.

Steven Runciman, "Some Remarks on the Image of Edessa," *Cambridge Historical Journal* 3 (1931) 238-252.

Edgar Hennecke, *New Testament Apocrypha*. Wilhelm Schneemelcher, editor. ET edited by R. McL. Wilson. Philadelphia: Westminster Press, 1963.

J. B. Segal, *Edessa "The Blessed City."* Oxford: Clarendon Press, 1970.

Walter Bauer, *Orthodoxy and Heresy in Earliest Christianity*. Philadelphia: Fortress Press, r.p. 1971, 1-43.

Robert Murray, *Symbols of Church and Kingdom. A Study in Early Syriac Tradition*. Cambridge: Cambridge University Press, 1975.

ܡܠܦܢܘܬܐ ܕܐܕܝ ܫܠܝܚܐ.

ܐܓܪܬܐ ܕܐܒܓܪ ܡܠܟܐ ܒܪ ܡܥܢܘ ܡܠܟܐ. ܘܕܐܡܬܝ
ܫܕܪ ܗܘܐ ܠܗ ܠܡܪܢ ܠܐܘܪܫܠܡ. ܘܕܐܡܬܝ ܐܬܼܐ
ܗܘܐ ܐܕܝ ܫܠܝܚܐ ܠܘܬܗ ܠܐܘܪܗܝ. ܘܡܕܡ ܕܡܠܠ
ܒܡܕܝܢܬܐ ܕܡܪܘܬܗ. ܘܕܐܝܟܢ ܐܒܓܪ ܗܘܐ ܘܦܫܪ
ܗܘܐ ܒܗ ܢܦܫ ܗܘܐ ܡܢ ܟܠܗܝܢ ܗܢܐ. ܐܝܟܢ ܕܦܩܠܗ
ܘܗܘ ܡܢܗ ܐܝܕܐ ܕܗܝܡܢܘܬܐ.

ܒܫܢܬ ܬܠܬܡܐܐ ܘܐܪ̈ܒܥܝܢ ܘܬܠܬ ܠܡܠܟܘܬܐ
[ܕܝ̈ܘܢܝܐ.] ܘܒܡܠܟܘܬܗ [ܕܡܪܢ] ܛܝܒܪܝܘܣ ܩܣܪ
ܪ̈ܗܘܡܝܐ: [ܘܒܡܠܟܘܬ]ܗ ܕܐܒܓܪ [ܡܠܟܐ] ܒܪ ܡܥܢܘ
[ܡܠܟܐ:] ܒܐܝܪܚ [ܬܫܪܝ] ܩܕܡ ܒܝܘܡ ܬ̈ܪܝܢ. ܫܕܪ
ܗܘܐ ܐܒܓܪ ܐܘܟܡܐ ܠܡܪܝܗܒ ܘܠܫܡܫܓܪܡ. ܪ̈ܒܢܐ
ܘܡܝܩܪ̈ܐ ܕܡܠܟܘܬܗ: ܘܠܚܢܢ ܛܒܘܠܪܐ ܫܪܝܪܐ
ܕܝܠܗܘܢ. ܠܡܕܝܢܬܐ ܕܡܬܩܪܝܐ ܐܠܘܬܪܘܦܘܠܝܣ.
ܘܐܬܪܥܝܬ ܕܝܢ ܒܠܘܬ ܗܓܡܘܢܐ ܣܒܝܢܘܣ ܒܪ
ܐܘܣܛܪܓܝܣ ܐܦܛܪܘܦܐ ܕܡܢ ܩܕܡ: ܗܘ ܕܩܐܡ
ܥܠܝܗ ܗܘܐ ܥܠ ܣܘܪܝܐ ܘܥܠ ܦܘܢܝܩܐ ܘܥܠ ܦܠܣܛܝܢܐ:
ܘܥܠ ܐܬܪܐ ܟܠܗ ܕܒܝܬ ܢܗܪ̈ܝܢ. ܘܐܙܠܘ ܗܘܘ ܠܗ
ܐܓܪ̈ܬܐ ܡܛܠ ܨܒ̈ܘܬܐ ܕܡܠܟܘܬܐ. ܘܟܕ ܐܙܠܘ
ܗܘܘ ܠܘܬܗ ܩܒܠ ܗܘܐ ܐܢܘܢ (f. 2 a) ܒܚܕܘܬܐ

THE TEACHING OF ADDAI

The letter of King Abgar, the son of King Manu, the time when he sent it to our Lord in Jerusalem, the time when Addai the apostle came to him in Edessa,[2] *that which he spoke in the gospel of his preaching, and the things which he said and commanded when he went out from this world to those who had received ordination from him to the priesthood.*

In the three hundred and forty-third year of the kingdom of the Greeks[3] in the reign of our lord Tiberius,[4] the Roman Caesar, in the reign of King Abgar, the son of King Manu, in the month of October[5] on the twelfth day, Abgar Ukkama[6] sent Maryahb and Shmeshgram, noble and honorable men of his kingdom, and Hanan the faithful archivist with them, to the city called Eleutheropolis (in Aramaic Beth-gubrin)[7] to the honorable Sabinus, the son of Eustorgius, the Procurator of our lord Caesar, who was governor over Syria, Phoenicia, Palestine, and all the country of Mesopotamia. They brought to him letters about the affairs of the kingdom. When they reached him he received them [f. 2a] happily

ܘܒܐܘܡܢܐ. ܘܗܘܐ ܠܗܬܗ̇ ܘܬܕܡܪ̈ܬܐ ܒܣܦܪ̈ܐ ܘܡܫܟܢܐ.
ܘܚܙ̇ܒ ܗܘܐ ܠܗܘܢ ܦܫܝܩܐ ܕܐܠܗܘܬܐ. ܘܡܕܪ
ܗܘܐ ܐܢܘܢ ܠܗܬ ܐܣܟܝܡ ܡܠܟܐ. ܘܟܕ ܢܦܩ ܗܘܐ ܡܢ
ܠܗܬܗ̇. ܣܡܘ ܗܘܘ ܘܐܬܘ ܒܐܘܪܚܐ ܠܡܗܠܟ ܐܘܪܫܠܡ.
ܘܚܙܐ ܗܘܐ ܐܢܫܐ ܦ̈ܠܚܐ ܕܐܬܝܢ ܗܘܘ ܡܢ ܪܘܡܝܐ.
ܕܣܓܘܢ ܠܡܫܝܚܐ. ܡܛܠ ܕܢܦܩ ܗܘܐ ܛܒܐ ܕܬܕܡܪ̈ܬܐ
ܕܢܫܝܚܘܬܗ. ܒܐܬܪ̈ܘܬܐ ܡܫܒ̈ܚܬܐ. ܘܟܕ ܚܙܐ ܐܢܘܢ
ܠܐܢܫܐ ܗܠܝܢ ܡܢܗܘܢ ܘܡܫܬܥܝܢ: ܘܫܡܥ ܛܘܒܢܐ.
ܐܬܐ ܗܘܐ ܐܦ ܗܘ ܥܡܗܘܢ ܠܐܘܪܫܠܡ. ܘܟܕ
ܥܠ ܗܘܐ ܠܐܘܪܫܠܡ. ܣܓܕ ܗ̣ܘܐ ܠܡܫܝܚܐ. ܘܒܟܐ.
ܒܡ ܒܟܝܐ ܕܠܘܬ ܗܘܐ ܠܗ. ܘܫܡܥ ܗܘܐ ܐܦ
ܠܬܘܕܝܐ. ܕܦܠܚܝܢ ܗܘܘ ܒ̈ܬܝܢ ܩ̈ܕܝܫܝܢ. ܘܡܬܦܫܩܝܢ ܗܘܘ
ܕܡܠܟܐ ܢܚܒܘܢ ܠܗ. ܡܫܡܫܝܢ ܗܘܘ ܠܗ: ܕܢܫܡܫ ܗܘܐ
ܕܗܘܠܟܐ ܕܐܢܫܘܬܐ ܕܡܫܝܚܘܢ ܡܢܗܘܢ ܗܘܘ ܒܗ.
ܘܗܘܐ ܬܡܢ ܒܐܘܪܫܠܡ ܡܬܬܒܥ ܒܗܪ̈ܐ. ܘܚܒܒ
ܗܘܐ ܫܡܥ ܛܘܒܢܐ. ܒܠܚܘܕ ܕܫܒܐ ܗܘܐ ܕܢܚܙ
ܗܘܐ ܡܫܝܚܐ. ܐܦ ܥܠܡܐ ܕܡܕܡ ܕܢܚܙ ܗܘܐ ܠܗ
ܬܡܢ. ܡܕܡ ܕܢܐܙܠ ܗܘܐ ܠܬܡܢ. (f. 2 b) ܘܚܙܘ
ܗܘܘ ܘܐܬܘ ܗܘܘ ܠܐܘܪܫܠܡ. ܘܟܠܗ ܗܘܐ ܡܕܡ
ܐܚܪܢ ܡܠܟܐ ܡܢܗܘܢ ܕܢܙܕ ܗܘܐ ܐܢܘܢ. ܘܡܢܗ
ܗܘܘ ܠܗ ܦܫܝܩܐ ܕܐܠܗܘܬܐ ܕܐܘܒܠܗ ܗܘܘ ܒܒܘܫܝܢ:
ܘܡܢ ܒܬܪ ܕܐܬܦܢܝ ܗܘܝ ܐܠܗܘܬܐ. ܥܢܘ ܗܘܘ
ܕܢܬܒܥܘܢ ܡܕܡ ܡܠܟܐ ܒܠ ܡܕܡ ܕܣܝܦ. ܘܟܠ
ܡܕܡ ܕܒܥܐ ܗܘܐ ܡܫܝܚܐ ܒܐܘܪܫܠܡ. ܘܦܢܐ ܗܘܐ
ܫܡ ܛܘܒܢܐ ܡܕܡܗܘܢ. ܒܠ ܡܕܡ ܕܚܙܒ ܗܘܐ

and with honor; so they were there twenty-five days. Then he wrote for them a reply to the letters and sent them to King Abgar.

When they went out from his presence they left and went on the road to Jerusalem. They saw many people coming from far away to see the Messiah because a report of the wonders of his mighty deeds had gone out to distant places. When they saw them, Maryahb, Shmeshgram, and Hanan, the archivist, also went with them to Jerusalem. Upon entering Jerusalem they saw the Messiah and celebrated with the crowds who were following him. On the other hand they saw the Jews standing in groups and plotting what they might do to him, for they were distressed at seeing that some of the multitude of the people were believing in him. Thus they were there in Jerusalem ten days. Hanan the archivist wrote down everything which he saw that the Messiah was doing, along with the rest of the things done by him there before they had come there [f. 2b]. Then they left and came to Edessa.

When they entered in before King Abgar, their lord who had sent them, they gave him the reply to the letters they had brought with them. After the letters had been read they began to relate to the king everything which they had seen and everything which the Messiah had done in Jerusalem. Hanan the archivist read to him everything which he had written

ܘܐܝܬܝ ܒܗܘܢ. ܘܟܕ ܫܡܥ ܗܘܐ ܐܒܓܪ ܡܠܟܐ.
ܬܡܗ ܗܘܐ ܘܐܬܕܡܪ: ܐܦ ܫܘܪ̈ܒܘܗܝ ܕܦܠܚܝܢ ܗܘܘ
ܩܕܡܘܗܝ. ܘܐܡܪ ܠܗܘܢ ܐܒܓܪ. ܗܠܝܢ ܚ̈ܝܠܐ ܠܐ ܗܘܘ
ܕܒܢ̈ܝ ܐܢܫܐ ܐܠܐ ܕܐܠܗܐ. ܡܛܠ ܕܠܝܬ ܕܢܚܐ
ܡ̈ܝܬܐ. ܐܠܐ ܐܢ ܐܠܗܐ ܒܠܚܘܕ. ܝܕܥ ܗܘܐ ܕܝܢ
ܐܒܓܪ. ܕܗܘ ܩܘܡܗ ܢܥܒܪ ܗܘܐ ܘܢܐܙܠ ܠܦܠܣܛܝܢܐ.
ܘܢܚܙܐ ܗܘܐ ܒܥܝܢܘ̈ܗܝ. ܟܠ ܡܕܡ ܕܥܒܕ ܗܘܐ
ܡܫܝܚܐ. ܘܡܛܠ ܕܠܐ ܐܫܟܚ ܗܘܐ ܕܢܥܒܪ ܠܐܬܪܐ
ܕܪ̈ܗܘܡܝܐ ܕܠܘ ܕܝܠܗ ܗܘܐ: ܕܠܡܐ ܒܠܬܐ ܗܕܐ ܬܗܘܐ
ܗܘܬ ܠܒܥܠܕܒܒܘܬܐ ܘܚܣܝܬܐ. ܟܬܒ ܗܘܐ ܐܓܪܬܐ.
ܘܫܕܪ ܗܘܐ (f. 3 a) ܠܡܫܝܚܐ ܒܐܝܕܗ ܕܚܢܢ ܛܒܘܠܪܐ.
ܘܢܦܩ ܗܘܐ ܡܢ ܐܘܪܗܝ ܒܐܪ̈ܒܥܣܪܐ ܒܐܕܪ. ܘܥܠ
ܗܘܐ ܠܐܘܪܫܠܡ ܒܬܪ̈ܥܣܪܐ ܒܢܝܣܢ ܒܐܪ̈ܒܥܐ ܒܫܒܐ.
ܘܐܫܟܚܗ ܗܘܐ ܠܡܫܝܚܐ. ܒܝܬ ܓܡܠܝܐܝܠ ܪܒܐ
ܕܝܗܘܕ̈ܝܐ. ܘܐܬܩܪܝܬ ܗܘܬ ܐܓܪܬܐ ܩܕܡܘܗܝ.
ܐܝܟܢܐ ܕܟܬܝܒܐ ܗܘܬ ܗܟܢܐ. ܐܒܓܪ ܐܘܟܡܐ.
ܠܝܫܘܥ ܐܣܝܐ ܛܒܐ ܕܐܬܚܙܝ ܒܐܬܪܐ ܕܐܘܪܫܠܡ.
ܡܪܝ ܫܠܡ. ܫܡܥܬ ܥܠܝܟ ܘܥܠ ܐܣܝܘܬܟ. ܕܠܐ
ܗܘܐ ܒܣܡ̈ܡܢܐ ܘܒܥܩܪ̈ܐ ܡܐܣܐ ܐܢܬ. ܐܠܐ
ܒܡܠܬܟ ܣܡ̈ܝܐ ܦܬܚ ܐܢܬ. ܘܠܚܓܝܪ̈ܐ ܡܗܠܟ
ܐܢܬ. ܘܠܓܪ̈ܒܐ ܡܕܟܐ ܐܢܬ. ܘܠܚܪ̈ܫܐ ܡܫܡܥ ܐܢܬ.
ܘܠܪ̈ܘܚܐ ܘܠܒܪ ܐܓܪ̈ܐ ܘܡܫܬܢܩ̈ܐ: ܒܗ̇ ܒܡܠܬܟ
ܡܐܣܐ ܐܢܬ. ܐܦ ܡ̈ܝܬܐ ܡܩܝܡ ܐܢܬ. ܘܟܕ ܫܡܥܬ
ܬܕܡܪ̈ܬܐ ܪ̈ܘܪܒܬܐ ܕܥܒܕ ܐܢܬ. ܦܣܩܬ
ܒܪܥܝܢܝ. ܕܐܘ ܐܠܗܐ ܐܢܬ ܕܢܚܬܬ ܡܢ ܫܡܝܐ

and had brought with him. When King Abgar heard, he was speechless and astonished; so were his nobles who were standing before him. Abgar replied: "These powers are not of men but of God. For there is none who can restore life to the dead except God alone."

Abgar wished that he himself might cross over and go to Palestine and that he might see with his own eyes everything that the Messiah was doing. But because he could not pass over a district of the Romans which was not his, lest this occasion should provoke bitter enmity, he wrote a letter and sent it [f. 3a] to the Messiah by Hanan the archivist. He went out from Edessa on the fourteenth of March,[8] entered Jerusalem on the twelfth of April[9] on the fourth day of the week, and found the Messiah in the house of Gamaliel a prince of the Jews. The letter was read to him, written as follows: "Abgar Ukkama to Jesus, the good Physician who has appeared in the land of Jerusalem; my Lord, peace. I have heard concerning you and your healing that you do not heal with drugs or roots; it is rather by your word that you give sight to the blind, cause the lame to walk, cleanse the lepers, and cause the deaf to hear; by your word you heal spirits, lunatics, and those in pain. You even raise the dead. So when I heard of the great wonders which you do I decided either that you are God in that you have come down from heaven

ܘܡܕܒܪܬ ܗܠܝܢ. ܐܘ ܒܪܗ ܐܢܬ ܕܐܠܗܐ̈. ܕܗܠܝܢ
ܟܠܗܝܢ ܒܪܝܬ ܐܢܬ. ܡܛܠ ܗܢܐ ܒܥܠܬ ܟܒܫܬ ܡܢܝ.
ܕܐܬܐܬܐ ܠܘܬܝ ܒܪ ܦܓܪ ܐܢܐ ܠܝ. ܘܒܐܝܟܐ ܡܕܡ
ܕܐܝܬ ܠܗ (f. 3 b) ܬܐܡܪ ܐܝܟ ܕܡܢܚܒܠܬ ܒܝ. ܐܦ
ܗܕܐ ܬܘܒ ܥܒܕܬ: ܕܫܘܕܥܐ ܬܠܡ ܒܠܝܢ ܘܪܕܦ
ܠܝ: ܘܐܦ ܕܢܦܩܘܢ ܥܒܝܕ. ܘܠܡܗܪܘ ܒܝ ܣܓܝ.
ܡܕܝܢܬܐ ܣܓܝܐܐ ܘܒܘܪܬܐ ܐܣܝܐ ܐܢܐ ܘܡܣܢܩܐ.
ܘܠܬܪܝܢ ܗܦܟܐ ܠܡܥܡܪ ܒܗ ܒܥܠܡܐ. ܘܒܪ ܡܟܠܗ
ܗܘܐ ܢܣܒ ܠܐܓܪܬܐ ܒܝܬ ܙܒ ܒܫܢܐ ܕܫܘܕܝ.
ܐܡܪ ܠܗ ܠܚܢܝܢ ܠܒܘܠܪܐ. ܐܠ ܘܐܡܪ ܠܗ ܠܡܪܢ
ܕܥܒܕܝܢ ܝܐܕܒ. ܠܒܘܫܝ ܕܒܪ ܠܐ ܣܘܬܒ ܗܡܓܢܬ
ܒܝ. ܟܬܒܒ ܒܢܐ ܒܠܒ. ܕܐܠܝܡ ܕܢܫܡ ܠܒ ܠܐ ܢܗܡܒܘܢ
ܒܝ. ܘܐܠܝܡ ܕܠܐ ܫܡ ܠܒ ܦܘܢ ܢܗܡܒܘܢ ܒܝ.
ܘܕܒܬܒܬ[a] ܠܝ ܕܐܬܐ̈ ܠܘܬܝ. ܗܘ ܡܕܡ ܕܐܬܚܕܬܬ
ܟܠܗܘܢ ܠܗܪܟܐ. ܡܚܝܠ ܐܬܟܠܠ ܠܗ. ܘܗܠܝܢ ܐܢܐ
ܠܝ ܠܘܬ ܐܒܝ ܕܥܒܕܪܝ. ܘܒܗܐ ܕܗܠܡܬ ܠܘܬܟ. ܡܥܒܪ
ܐܢܐ ܠܝ ܠܣܪ ܡܢ ܬܠܬܝܢܒ. ܕܒܐܝܟܐ ܡܕܡ ܕܐܝܬ
ܠܝ ܢܦܫܝ ܘܣܠܩ. ܘܠܒܘܠ ܡܢ ܕܐܝܬ ܠܘܬܝ.
ܢܓܢܐ ܐܢܘܢ ܠܣܬܐ ܕܠܒܠܡ. ܘܡܢܝܢ ܢܗܘܐ ܒܪܫܝ.
ܘܒܠܒܒܒܐ ܬܘܒ ܠܐ ܢܬܠܠܛ ܒܗ ܠܟܠܡ. ܒܪ ܕܝܢ
ܒܝܐ ܗܘܐ ܫܡ ܠܒܘܠܪܐ: ܕܗܒܢܐ ܐܡܪ ܗܘܐ ܠܗ
(f. 4 a) ܢܣܒ. ܘܒܝܕ ܕܢܝܪܐ ܗܘܐ ܕܡܠܟܝ. ܥܒܠ
ܗܘܐ ܘܪܙ ܝܠܗܘܢ ܕܢܣܒ ܒܣܘܟܠܐ ܒܠܒܝ. ܘܐܬܐ,

[a] Read ܘܕܒܬܒܬ.

and have done these things, or that you are the Son of God because you are doing all these things. Because of this I have written requesting that you come to me since I reverence you, and heal a certain illness which I have [f. 3b] since I believe in you. Furthermore I have heard that the Jews murmur against, persecute, and are seeking to crucify you in an effort to destroy you. I have a small and beautiful city in which two might live in peace."

When Jesus received the letter in the house of the chief priest of the Jews he said to Hanan the archivist: "Go and say to your lord who sent you to me" 'Blessed are you who though not having seen me have believed in me. For it is written concerning me that those who see me will not believe in me, but those who do not see me will believe in me.[10] With regard to the fact that you have written to me that I should come to you, that for which I was sent here is now finished and I ascend to my Father who sent me. But when I have ascended to Him I will send to you one of my disciples who will heal and make your particular illness well and will turn all who are with you to eternal life. As for your city may it be blessed and may no enemy ever again rule over it.'"

When Hanan the archivist saw that Jesus had spoken thus to him, [f. 4a] he took and painted the portrait of Jesus with choice pigments, since he was the king's artist, and brought

ܗܘܐ ܒܡܘܬܒܗ ܠܐܒܓܪ ܡܠܟܐ ܡܪܗ. ܘܟܕ ܚܙܝܗܝ ܗܘܐ ܐܒܓܪ ܡܠܟܐ ܠܓܠܒܐ ܗ̇ܘ ܦܠܚܗ ܗܘܐ ܒܚܕܘܬܐ ܪܒܬܐ̇. ܘܡܘܬܒܗ ܗܘܐ ܒܐܘܡܢܘܬܐ ܪܒܐ̇. ܒܚܕ ܡܢ ܫ̈ܢܬܐ ܕܨ̈ܘܪܢܐ ܕܠܗ. ܘܐܫܬܥܒܕ ܗܘܐ ܠܗ ܫܢܝ ܠܦܘܠܚܢܗ̇. ܒܠܚܘܕ ܕܢܣܒ ܗܘܐ ܡܢ ܢܩܘܒ. ܟܕ ܒܚ̈ܝܘܗܝ ܗ̈ܘܘ ܠܗ ܚ̈ܠܡܘܗܝ ܒܒܬ̈ܟܐ. ܘܡܢ ܒܬܪ ܕܐܫܬܠܡ ܗܘܐ ܡܥܢܝܐ ܠܡܥܒܕ. ܫܪܝ ܗܘܐ ܡܘܕܐ ܬܘܕܝܬܐ ܠܘܬ ܐܒܓܪ. ܠܐܕܝ ܫܠܝܚܐ. ܗ̇ܘ ܕܐܝܬܘܗܝ ܗܘܐ ܚܕ ܡܢ ܫܒܥܝܢ ܘܬܪ̈ܝܢ ܫܠܝ̈ܚܝܢ. ܘܟܕ ܐܬ̇ܐ ܐܕܝ ܠܡܕܝܢܬܐ ܕܐܘܪܗܝ. ܫܪܐ ܗܘܐ̇ ܒܒܝܬ ܛܘܒܝܐ ܒܪ ܛܘܒܝܐ ܝܗܘܕܝܐ. ܗ̇ܘ ܕܐܝܬܘܗܝ ܗܘܐ̇ ܡܢ ܦܠܣܛܝܢܐ. ܘܐܫܬܡܥ ܗܘܐ ܥܠܘܗܝ ܒܟܠܗ ܡܕܝܢܬܐ. ܘܟܠ ܗܘܐ ܚܕ ܡܢ ܚܐܪ̈ܘܗܝ ܕܠܗ ܕܐܒܓܪ. ܘܐܡܪ ܗܘܐ ܥܠܘܗܝ ܕܐܕܝ. ܗ̇ܘ ܕܫܡܥܗ ܗܘܐ̇ ܥܒܕܘ ܒܪ ܥܒܕܘ. ܡܢ ܪ̈ܘܪܒܢܐ ܕܝܬܒܝܢ ܡܘܬܒܗ ܕܠܗ ܕܐܒܓܪ. ܕܗܐ ܐܬ̇ܐ ܐܫܠܝܚܐ̈ ܘܫܪܐ ܗܪܟܐ. ܗ̇ܘ ܕܫܠܝܚ ܗܘܐ ܠܟ (f. 4 b) ܥܠܘܗܝ ܝܫܘܥ: ܕܡܫܕܪ ܐܢܐ ܠܘܬܟ ܚܕ ܡܢ ܬܠܡܝ̈ܕܝ. ܘܟܕ ܫܡܥ ܗܘܐ ܐܒܓܪ ܩ̇ܠܐ ܗܠܝܢ: ܘܒܓܘܪ̈ܬܐ ܪ̈ܘܒܬܐ ܕܒܠܒܗ ܗܘܐ ܐܕܝ: ܘܐ̈ܬܘܬܐ ܬܕܡ̈ܪܬܐ ܕܡܥܒܕ ܗܘܐ̇. ܘܟܕ ܗܘܐ ܒܢܚܫܢܗ ܘܐܡܪ: ܕܫܪܝܪܐܝܬ ܗ̇ܘ ܗ̣ܘ ܕܫܠܝܚ ܗܘܐ ܠܗ ܡܫܝܚ. ܕܗܟܢܐ ܕܐܡܪܬ ܠܡܥܝܢܐ: ܐܫܕܪ ܠܟ ܚܕ ܡܢ ܬܠܡܝ̈ܕܝ. ܘܢܐܣܝܟ ܢܐܣܐ. ܘܫܕܪ ܗܘܐ̇ ܕܝܢ ܐܒܓܪ ܘܩܪܝܗܝ ܠܛܘܒܝܐ. ܘܐܡܪ ܗܘܐ ܠܗ. ܫܡܥܬ ܕܓܒܪܐ ܚܕ ܚܝܠܬܢܐ ܐܬ̇ܐ ܘܫܪܐ ܒܒܝܬܟ. ܐܝܬܝܘܗܝ ܠܘܬܝ. ܕܠܡܐ ܢܫܬܟܚ ܠܝ ܐܣܝܐ ܕܫܘܢܩܐ

it with him to his lord King Abgar. When King Abgar saw the portrait he received it with great joy and placed it with great honor in one of the buildings of his palaces. Hanan the archivist told him everything which he heard from Jesus since his words had been placed by him in written documents.

After the Messiah had ascended to heaven Judas Thomas sent Addai, the apostle, one of the seventy-two apostles, to Abgar.[11] When Addai came to the city of Edessa he dwelt in the house of Tobia, the son of Tobia the Jew, who was from Palestine. When a report concerning him was heard throughout all of the city, one of the nobles of Abgar (his name being Abdu the son of Abdu, one of the princes of Abgar's council) entered and told him [the following] about Addai: "Behold an ambassador has come and dwelt here. He is the one concerning whom Jesus sent to you [saying] [f. 4b]: 'I will send to you one of my disciples.'" When Abgar heard this, in addition to the great miracles which Addai was doing and the amazing cures which he was performing, he concluded: "Truly this is the one whom Jesus sent [saying], 'When I have ascended to heaven I will send to you one of my disciples and he will heal your illness.'" Abgar sent and called Tobia and said to him: "I have heard that a mighty man has come and dwelt in your house. Bring him up to me. Perhaps by this one there will be found for me good hope

ܕܫܘܠܡܢܐ ܡܢ ܠܘܬܗ. ܘܦܪܝܫ ܗܘܐ ܠܓܡܪܐ ܠܫܘܠܡܐ
ܐܣܝܪܝܢ. ܘܕܒܪܗ ܗܘܐ ܠܐܒܐ، ܥܠܝܡܐ. ܘܐܘܕܥܗ ܠܘܬ
ܐܒܘܢ. ܟܕ ܡܪܝ ܗܘܐ ܗܘ ܐܒܐ. ܕܒܚܝܠܐ ܕܐܠܗܐ
ܡܕܒܪ ܗܘܐ ܠܘܬܗ. ܘܟܕ ܫܠܡ ܗܘܐ ܐܒܐ، ܘܥܠ ܗܘܐ
ܠܘܬ ܐܒܘܢ: ܟܕ ܡܢܝܚ ܚܐܪܘܬܗ، ܠܘܬܗ. ܘܒܗ
ܒܡܠܠܐ ܕܠܘܬܗ. ܚܙܘܐ ܬܫܒܘܚܬܐ ܐܬܚܙܝ، ܗܘܐ ܠܗ
ܠܐܒܘܢ ܡܢ ܦܪܨܘܦܗ ܕܐܒܐ. ܘܟܕ ܒܫܥܬܐ ܕܚܙܐ
ܗܘܐ ܐܒܘܢ ܚܙܘܐ ܗܘ. (f. 5 a) ܢܦܠ ܗܘܐ ܘܣܓܕ
ܗܘܐ ܠܐܒܐ. ܘܬܕܡܘܪܬܐ ܪܒܐ ܐܚܕ ܗܘܐ. ܠܟܠܗܘܢ
ܗܢܘܢ ܕܚܙܝܢ ܗܘܘ ܡܕܡܗܘܢ، . ܗܝܕܝܢ ܒܥܐ ܠܗ
ܚܘܝܗ ܠܚܙܘܐ ܗܘ ܕܐܬܚܙܝ، ܗܘܐ ܠܗ ܠܐܒܘܢ. ܗܝܕܝܢ
ܐܡܪ ܠܗ ܐܒܘܢ ܠܐܒܐ. ܕܒܫܪܝܪܬܐ ܐܬܚܙܝܬ ܠܗ ܐܝܟ
ܕܡܫܒܚ: ܗܘ ܒܢܗܪܐ ܚܙܐ ܒܪܗ ܕܐܠܗܐ. ܗܘ ܕܥܒܕ
ܗܘܐ ܠܗ ܕܡܕܒܪ ܐܢܐ ܠܟ. ܠܚܕ ܡܢ ܬܠܡܝܕܘܗܝ
ܠܐܘܣܬܐ ܘܠܚܢܢܐ. ܐܡܪ ܠܗ ܐܒܐ. ܡܛܠ ܕܡܢ
ܡܢܡ ܗܘܝܬ ܗܘܬ ܒܟܢ ܕܡܕܒܪ ܠܘܬܟ. ܡܛܠܬ
ܗܘ ܗܘ ܐܬܓܠܝܬ ܠܐܒܘܢ. ܘܟܕ ܬܘܒ ܐܬܚܙܝܬ ܒܗ.
ܒܟܠ ܡܕܡ ܕܐܬܚܙܝܬ ܒܗ ܢܗܘܐ ܠܟ. ܐܡܪ ܠܗ
ܐܒܘܢ. ܗܟܢܐ ܗܘܝܬ ܒܗ. ܕܠܚܘܕܝܐ ܗܘܘ
ܕܘܟܪܢܗ، ܗܘܐ. ܒܟܠܗ ܗܘܬ ܕܐܬܚܙܝ ܠܗ ܚܠܝܐ.
ܘܐܬܠ ܐܝܪܘܢ ܐܢܘ. ܘܡܛܠ ܡܠܘܬܐ ܗܢ،
ܕܬܘܕܝܬܐ ܐܬܡܢܥ. ܒܫܘܒܚܐ ܕܫܡܝܐ ܕܫܘܡ ܠܢ.
ܟܡ ܡܢ ܗܘܐ ܠܡܪܝܢܘܬ. ܐܝܟ ܐܡܪܘ، ܡܬܡܕܝܢܐ.
ܐܡܪ ܠܗ ܐܒܐ. ܡܢ ܚܝܠܐ ܗܘ ܕܐܡܪܬܗ، ܥܡܠܐ.
ܘܟܕ ܫܠܡ ܚܝܠܐ ܕܠܘܬܗ. ܐܬܦܪܫ ܠܘܬ ܐܒܘܗܝ.

for recovery."

So Tobia arose early the next day, took Addai the apostle, and brought him up to Abgar. Addai himself knew that it was by the power of God that he was being sent to him. When Addai went up and entered before Abgar, his nobles were standing with him. At his entrance before him a marvelous vision appeared to Abgar in the face of Addai. As soon as Abgar saw the vision [f. 5a] he fell down and did obeisance to Addai. Great wonder seized all those who were standing before him for they did not see the vision which appeared to Abgar. Abgar said to Addai: "Truly you are the disciple of Jesus, that mighty man, the Son of God, who sent to me [saying]: 'I will send to you one of my disciples for healing and for salvation.'"[12] Addai replied: "Because at first you believed in the one who sent me to you, because of this I have been sent to you. Again because you believe in him, everything which you believe will come to you through him." Abgar returned: "I have so believed in him that against those Jews who crucified him I wish that I might lead an army myself and might go and destroy them. But because that kingdom belongs to the Romans I have respect for the covenant of peace which was established by me as by my forefathers with our lord Caesar Tiberius." Addai responded: "Our Lord has completed the will of his Father. When he completed the will of his parent, he was raised to his Father,

ܘܐܬܐܣܝ (f. 5 b) ܒܫܡܗ ܒܫܘܒܚܐ. ܗܘ ܕܐܬܐܣܝܘܗܝ,
ܗܘܐ ܒܗ ܡܢ ܟܠܢ. ܐܡܪ ܠܗ ܐܒܓܪ. ܐܦ ܐܢܐ
ܡܗܝܡܢ ܐܢܐ ܒܗ̇ ܘܒܐܒܘܗܝ. ܐܡܪ ܠܗ ܐܕܝ.
ܡܛܠ ܕܗܟܢܐ ܗܝܡܢܬ. ܗܟܢ ܐܢܐ ܐܝܕܝ, ܥܠܝܟ.
ܒܫܡܗ ܕܗܘ ܕܗܝܡܢܬ ܒܗ. ܘܒܗ̇ ܒܫܥܬܐ ܕܗܝ
ܗܘܐ ܐܣܝܐ ܟܠܗܘܢ. ܐܬܐܣܝܘ, ܡܢ ܢܟܝܐ ܕܟܐܒܐ.
ܕܐܝܬ ܗܘܐ ܠܗ ܢܘܓܪܐ. ܘܬܡܗ ܗܘܐ ܐܒܓܪ
ܘܐܬܕܡܪ. ܕܐܝܟܢܐ ܕܫܡܥ ܗܘܐ ܠܗ ܥܠ ܝܫܘܥ:
ܕܥܒܕ ܗܘܐ ܘܡܐܣܐ. ܗܟܢܐ ܘܐܦ ܗܘ ܐܕܝ.
ܕܠܐ ܣܡܐ ܕܡܕܡ ܡܐܣܐ ܗܘܐ ܒܫܡܗ ܕܝܫܘܥ.
ܘܐܦ ܠܥܒܕܘ ܒܪ ܥܒܕܘ. ܦܘܕܓܪܐ ܐܝܬ ܗܘܐ ܠܗ
ܒܪ̈ܓܠܘܗܝ. ܘܐܦ ܗܘ ܩܪܒ ܗܘܐ ܠܗ ܪ̈ܓܠܘܗܝ.
ܘܣܡ ܗܘܐ ܐܝܕܗ ܥܠܝܗܝܢ ܘܐܣܝܗ ܗܘܐ. ܘܬܘܒ ܠܐ
ܗܘܬ ܠܗ ܦܘܕܓܪܐ. ܘܐܦ ܒܡܕܝܢܬܐ ܟܠܗ̇. ܐܣܘ̈ܬܐ
ܪ̈ܘܪܒܬܐ ܡܐܣܐ ܗܘܐ. ܘܚܝ̈ܠܐ ܬܕܡܪ̈ܬܐ ܡܚܘܐ
ܗܘܐ ܒܗ̇. ܐܡܪ ܠܗ ܐܒܓܪ. ܗܫܐ ܕܝܕܥ ܟܠ ܐܢܫ:
ܕܒܚܝܠܗ ܕܝܫܘܥ ܡܫܝܚܐ ܗܠܝܢ ܬܕܡܪ̈ܬܐ ܥܒܕ ܐܢܬ:
ܘܗܐ ܬܡܝܗܝܢ ܚܢܢ ܒܥܒ̈ܕܝܟ. ܒܥܐ ܐܢܐ ܗܟܝܠ
ܡܢܟ. (f. 6 a) ܕܬܫܬܥܐ ܠܢ ܥܠ ܡܬܝܬܗ[a] ܕܡܫܝܚܐ
ܕܐܝܟܢܐ ܗܘܬ. ܘܥܠ ܚܝܠܗ ܕܡܫܝܚܐ. ܘܥܠ ܬܕܡܪ̈ܬܐ
ܐܝܠܝܢ ܕܫܡܥܢ ܗܘܐ ܠܝ ܕܥܒܕ ܗܘܐ̇. ܐܝܠܝܢ ܕܐܢܬ
ܚܙܝܬ ܐܢܬ ܥܡ ܫܪܟܐ ܕܚܒ̈ܪܝܟ.[b] ܐܡܪ ܠܗ ܐܕܝ.
ܡܢ ܗܕܐ ܠܐ ܫܬܘܩ ܐܢܐ ܕܐܟܪܙ. ܕܡܛܠ ܗܕܐ

[a] Cureton, ܡܐܬܝܬܗ.   [b] C. ܬܠܡ̈ܝܕܐ ܚܒ̈ܪܝܟ.

and sat down [f. 5b] with him in glory, with whom he had been from eternity." Abgar replied: "Indeed I believe in him and in his Father." Addai returned:[13] "Because thus you have believed, I lay my hand upon you in the name of the one in whom you believed." As soon as he laid his hand upon him he was healed from the pain of his illness which he had had for a long time. Abgar marveled and was astonished for just as he had heard about Jesus that he worked and performed healings so also Addai himself without drugs of any kind performed healings in the name of Jesus.

Also Abdu the son of Abdu had gout in his feet. So he brought his feet to him and he laid his hand upon them and healed him so that he no longer had gout. Moreover, in all the city, he performed great healings and showed astonishing miracles.

Abgar said to him: "Now every man knows that by the power of Jesus the Messiah you are doing these wonders. Behold we are amazed at your deeds. Therefore I beseech you [f. 6a] that you tell us concerning the coming of the Messiah, how it came about, concerning his glorious power, and concerning the wonders which we have heard that he was doing which you and the rest of your companions saw." Addai replied: "From proclaiming this I will not be silent. For because of this

ܗܘ ܟܢ ܐܬܬܙܝܥܬ ܠܡܪܕܐ ܕܐܡܪܝܢ ܘܐܠܦ. ܠܟܠ ܡܢ
ܕܝܠܟܐ ܕܢܫܡܥܘܢ ܐܡܘܬܟ. ܠܡܫܪܐ ܦܪܝܫ ܠܗ ܒܡܠܬܗ̇
ܡܕܝܢܬܐ. ܘܐܙܕܗܪ ܒܗ̇ ܡܠܬܐ ܕܫܢܝܐ. ܒܚܪܘܪܘܬܐ
ܕܡܕܪܐ ܐܝܟ ܡܕܡܝܢܘܢ܆. ܟܠ ܡܐܬܬܗ ܕܡܫܝܚܐ
ܐܡܝܢܐ ܗܘܬ. ܘܟܠ ܫܠܝܚܗ ܥܡܝܢܐ[a] ܘܟܠ ܥܠܘܗܝ.
ܕܠܡܝܢܐ ܘܐܡܝܢܐ ܥܠܝܗ ܗܘܐ. ܘܟܠ ܫܠܝܚܗ
ܘܟܪ̈ܘܙܘܗܝ، ܬܡܝܗܬܐ. ܘܟܠ ܙ̈ܒܢܐ[b] ܥܡܝܢܐ ܕܡܬܬܗ̇.
ܐܠܝܡ ܕܡܠܠ ܗܘܐ ܒܟܠܡܐ. ܘܟܠ ܫܘܬܬܦܘܬܐ
ܕܚܪܘܪܘܬܗ̇. ܕܐܡܝܢܐ ܘܡܦܠܓ ܡܢܐ ܐܘܪܚ ܢܦܫܗ:
ܘܐܓܝ ܗܘܐ ܐܠܗܘܬܗ ܡܪܝܡܬܐ ܒܦܠܓܪܐ[c]
ܕܢܦܠ ܗܘܐ. ܘܐܙܕܗܝ ܗܘܐ ܘܫܒܩ ܠܒܝܬ ܡܬܐܬܐ.
ܘܦܪ̈ܣ ܗܘܐ ܦܫܝܛܐ ܗܘ ܕܡܬܟܬܒܝܢ ܠܐ ܐܬܬܪܒ
ܗܘ̈ܐ. ܘܐܡܝܢ ܗܘܐ ܡܬܐܬܐ ܒܦܠܓܗ̇. ܘܫܒܩ ܗܘܐ
ܒܠܫܘܕܗܘܢ، ܘܦܠܓ ܗܘܐ ܒܡ ܦܪ̈ܝܫܐ (f. 6 b)
ܠܬܘ ܐܒܗܘܢ، ܡܫܝܚܝܐ. ܗܘ ܕܒܚܝܠܗ ܐܬܬܗܘܢ، ܗܘܐ
ܡܬܬܗܡ ܒܫܡܐ ܐܠܗܘܬܐ ܡܪܝܡܬܐ. ܘܦܫܛ ܗܘܐ
ܐܟܦܪ. ܕܢܬܠܘܢ ܠܗ ܠܥܕ̈ܝ، ܒܦܨܐ ܘܕܗܒܐ. ܐܡܪ
ܠܗ ܐܕ̈ܝ. ܡܐܡܝܢܐ ܡܡܫܝܚ ܚܝ ܢܦܫܝܢ ܚܝ ܡܕܡ
ܕܠܐ ܕܐܠܝ ܗܘ. ܕܗܘܐ ܡܕܡ ܕܕܠܝ ܦܘ[d] ܥܡܝܢܘܗܝ،
ܐܝܟ ܕܐܬܦܫܛܝܢ ܡܢ ܡܢܝ. ܕܢܣܒܘܢ ܕܠܐ ܒܢܝܫܐ
ܘܕܠܐ ܬܪܡܠܐ. ܘܡܢ ܠܚܝܝܢ ܚܝ ܘܡܢܫܐ ܒܠ
ܒܬܫܬ ܐܬܦܫܛܝܢ ܕܡܢܝܢ ܗܡܢܘܬܗ ܒܟܠܗ̇ ܒܝܬܐ.

[a] C. omits ܘܟܠ ܫܠܝܚܗ ܥܡܝܢܐ.
[b] C. ܙ̈ܒܢܐ.
[c] C. ܒܐܢܫܘܬܐ.
[d] C. ܗܘܐ.

I was sent here in order that I might speak and teach everyone who like you is willing to believe. Tomorrow assemble all the city to me and I will sow in it the word of life by the preaching which I will proclaim to you, concerning the coming of the Messiah, how it was, his glorious power, the one who sent him, why and how he sent him, his power and his wonderous deeds, the glorious mysteries of his coming which he spoke in the world, and concerning the genuineness of his preaching. [I will proclaim to you] how and why he diminished himself, abased his exalted divinity by the body which he took, was crucified, went down to the house of the dead, broke through the barrier which had never been broken through before and gave life to the dead by being himself killed. He descended alone, but ascended with many [f. 6b] to his glorious Father, with whom he was from eternity in one exalted godhead."

Abgar commanded that they should give silver and gold to Addai. Addai retorted: "How can we receive anything which is not ours? Now behold we have left that which is ours as we were commanded by our Lord that we should be without purses and without wallets. While bearing crosses upon our shoulders we were commanded to preach his gospel in all creation,

ܗܘ ܕܚܠܬ ܒܪܬܗ ܪܓܫܬ ܗܘܬ ܘܚܙܬ. ܒܪܘܚܩܘܬܗ
ܕܗܘܬ ܫܠܝܡ ܠܡܘܪܢܐ ܕܥܠܡܘܢ ܒܢܝܢܫܐ. ܘܐܫܬܘܕܥ
ܗܘܐ ܡܕܡ ܐܒܓܪ ܡܠܟܐ ܘܡܕܡ ܪ̈ܘܪܒܢܘܗܝ
ܘܚܐܪ̈ܘܗܝ. ܘܡܕܡ ܐܓܘܣܛܝܢ ܐܡܗ ܕܐܒܓܪ.
ܘܡܕܡ ܫܠܡܬ ܒܪܬ ܡܗܪܕܬ ܐܢܬܬܗ ܕܐܒܓܪ.
ܐܬ̈ܘܬܗ ܕܡܪܢ ܘܬܕܡܪ̈ܬܗ ܘܚܝ̈ܠܐ ܥܒܝ̈ܕܐ ܕܒܫܡ
ܗ̇ܘܐ. ܘܢܝܫ̈ܘܗܝ ܐܠܗ̈ܝܐ. ܘܡܠܘܗܝ ܕܠܘܬ ܐܒܘܗܝ.
ܘܕܐܡܝܢܐ ܦܥܠ ܗܘܐ ܚܝ̈ܠܐ ܘܬܕ̈ܡܪܬܐ. ܒܥܕܢܐ
ܗܘ ܕܐܫܬܠܡ ܗܘܐ. ܕܒܗ ܗܘ ܒܗ̇ܘ ܚܝܠܐ ܐܦܝܣܗ
ܗܘܐ (f. 7 a) ܠܐܒܓܪ ܘܠܓܒܪܘ ܒܪ ܚܓܪܘ ܬܪܝܢܐ
ܕܡܠܟܘܬܗ. ܘܐܡܝܢܐ ܐܘܕܝ ܐܢܘܢ ܕܡܫܬܒܠܐ
ܠܚܐܪܬܐ ܕܒܢ̈ܝܐ. ܘܒܫܘܠܡܐ ܕܒ̈ܢܝܬܐ ܟܠܗܝܢ.
ܘܠܘܚܡܐ ܘܡܫܘܚܬܐ ܕܒܬܪܐ ܕܬܗܘܐ ܠܟܠܗܘܢ
ܒܢܝ̈ܢܫܐ. ܘܦܘܪܫܢܐ ܕܗܘ̣ܐ ܒܝܢܬ ܐܡܪ̈ܐ ܠܕܐܒ̈ܐ.
ܘܒܝܬ ܡܫܡܫܢܐ ܠܦܘܪܩܢܐ. ܘܐܡܪ ܗܘܐ ܠܗܘܢ.
ܡܛܠ ܕܬܪ̈ܬܝܢ ܕܝܢ̈ܐ ܡܦܠܓܢܐ ܗܘ: ܘܐܘܪܚܐ
ܕܪ̈ܘܪܐ ܐܠܝܨܐ ܗܝ: ܘܡܛܠ ܗܢܐ ܕܠܬܠܐ ܐܢܘܢ
ܡܫܡܫܢܐ ܕܢܡܘܣܐ. ܘܒܝܕ ܕܡܩܪܒܝ̣ܢ ܢܣܝܗ ܗܘ
ܕܦܠܚܐ. ܡܛܠ ܗܢܐ ܦܪ̈ܝܫܝܢ ܕܟܠܗ ܥܠܡܐ ܕܓܠܝܡ
ܠܫܡܝܐ. ܐܝܠܐ ܠܐ ܠܗ ܓܢܙ ܡܛܠ ܕܐܝܬ ܣܓܝܐܬܐ ܠܦܠܚܐ
ܠܐܢܫܐ ܡܫܡܫܢܐ. ܠܐ ܢܣܒ ܗܘܐ ܡܢ ܡܢ
ܥܡܕܐ. ܘܐܬܬܐ ܗܘܐ ܠܝܠܕܐ ܘܠܫܥܝܐ ܕܡܘܬܐ.
ܘܐܦ[a] ܠܐ ܠܡ ܕܠܡ ܡܫܕܪ ܗܘܐ ܕܢܗܘܐ ܠܗ ܒܪ̈ܘܢܐ

[a] C. ܘܠܡ for ܘܐܦ ܠܐ ܠܡ.

all of which was affected and suffered at his crucifixion which took place for our sake for the salvation of all people."

So he related to King Abgar, his princes and nobles, Augustine, Abgar's mother, and Shalmath, the daughter of Meherdath, the wife of Abgar, the signs of our Lord, his wonders, his glorious powers which he did, his divine victories, his ascension to his Father, and how they had received powers and authorities at the time that he was taken up, the very power by which he had healed [f. 7a] Abgar and Abdu the son of Abdu, the second of his kingdom. He further related how he had announced to them that he would be revealed at the end of times, at the consummation of all creatures, at the rising of the dead, the resurrection which would come to all people at the separation which would be between the sheep and the goats, namely, the believers and the infidels.

Then he said to them: "Because the gate of life is narrow and the way of truth is straight, because of this, true believers are few; moreover, the pleasure of Satan is by reason of infidelity. There are many deceitful men, therefore, who lead astray those who see. If a good end were not set for people who believe, our Lord would not have come down from heaven to a birth and a suffering of death. He would not have sent us ourselves[14] that we might be his preachers

ܘܡܦܪ̈ܢܣܐ. ܘܐܝܠܝܢ ܕܚܙܝܢ ܚܢܢ ܘܫܡܥܝܢ ܚܢܢ ܡܢܗ
ܕܥܒܕ ܗܘܐ ܘܡܠܦ ܗܘܐ. ܬܕܡܪ̈ܬܗ ܡܚܘܝܢ ܚܢܢ
ܡܕܡ ܒܟܠ ܐܢܫ. ܕܠܐ ܢܗܘܐ ܦܠܘܚܐ ܠܥܙܝܙܐ
ܕܡܒܪ̈ܬܗ. ܘܠܐ ܗܘܐ ܗܠܝܢ ܒܠܚܘܕ. ܐܠܐ̇ ܐܦ
ܐܝܠܝܢ ܕܗܘ̈ܝ ܒܝܘܡܘܗܝ ܡܢ ܒܬܪ ܫܘܠܡܗ ܡܚܘܝܢ (f. 7 *b*)
ܚܢܢ ܘܡܟܪܙܝܢ ܚܢܢ. ܐܝܟ ܐܝܢܐ ܕܐܦ ܡܫܡܫܢܘ̈ܗܝ.
ܡܕܡ ܕܗܘܐ̇ ܘܐܬܚܙܝ ܥܠ ܐܢܫܐ ܐܝܠܝܢ ܕܐܬܒܪܟܘ
ܡܢܗ ܒܗ ܒܡܫܝܚܐ. ܕܒܪܗ ܗ̇ܘ ܕܐܠܗܐ ܚܝܐ.
ܦܪܘܦܘܠܝܣܐ ܐܝܬܘܗܝ ܕܡܠܘܐ ܩܢܘܢ: ܗ̇ܘ ܕܒܕܒܪܗ
ܗܘܐ ܦܛܪܝܪܣ ܬܪܝܢܐ ܕܡܠܟܘܬܗ: ܒܪ ܐܝܠ ܗܘܐ
ܕܢܦ̇ܩ ܒܗ ܟ̈ܠܗ ܐܦܝܣܩܘܦܐ ܕܡܕܝܢܬܐ ܗܘܐ ܘܗܘܐ ܒܠܚܘܕܘܗܝ.
ܗ̇ܘ ܗܕܐ ܐܢܬܬܐ: ܒܪ ܐܢܬܘܢ، ܗܘܐ ܫܡܫܐ ܚܕ
ܡܢ ܬܠܡܝ̈ܕܘܗܝ ܒܪܘܡܝܐ ܡܕܝܢܬܐ: ܘܚܝܐ ܗܘܬ
ܐܢܬܬܐ ܘܬܕܡܘܪܬܐ: ܘܚܠܡܐ ܬܡܝܗܐ ܕܥܒܕ ܗܘܐ
ܒܫܡܗ ܕܡܫܝܚܐ. ܒܚܪܬ ܗܘܬ ܒܫܘܠܡܘܬܐ
ܕܐܒ̈ܗܘܗܝ ܕܡܟܝܐ ܗܘܬ ܒܗ̇. ܘܒܝ̈ܠܕܐ ܕܚܝܘܬܐ
ܕܥܒܕܐ ܗܘܬ ܠܗܘܢ. ܘܒܡܫܝܚܐ ܡܪܢ ܡܫܡܫܢܐ
ܗܘܬ ܘܥܒܕܐ. ܘܡܫܝܚܐ ܒܝܢ ܐܝܠܝܢ ܕܢܦܩܝܢ ܗܘܘ
ܠܗ ܠܡܫܡܫܘ. ܘܐܚܝܕܐ ܗܘܬ ܠܗ̣ ܒܐܘܪܚܐ ܙܒܢܐ.
ܘܡܢ ܒܬܪ ܗܠܝܢ. ܟܕ ܗܘܬ ܕܐܙܠ ܐܘܪܫܠܡ ܬܚܝܐ
ܗܘܬ. ܘܬܘܩ̈ܕܬܐ ܐܝܠܝܢ ܕܒܗܝܢ ܐܬܥܒܪܘ ܗܘܘ
ܚܝ̈ܠܘܗܝ ܕܡܪܢ. ܘܥܡܗ ܗܘܬ ܫܡܝܫܬܐ. ܘܫܒܝܚܬܐ
ܗܘܬ ܡܢ ܪ̈ܘܚܢܐ ܠܐܘܪܫܠܡ. ܗ̇ܝ (f. 54 *a*) ܘܬܪܝܢ
ܫܢ̈ܝܢ ܒܗ̇ܢ. ܘܢܨܚܐ ܒܪܬܗ ܒܬܘܠܬܐ. ܘܥܡ
ܒܐܠܐ ܗܘܬ ܠܐܘܪܫܠܡ. ܢܩܘܫ ܗܘܬ ܠܗ̇

and evangelists. But that which we saw and heard from him, which he did and taught, we faithfully proclaim to all people, for we are not faithless to the truth of his gospel. Indeed not these things only but also those which took place in his name after his ascension we declare [f. 7b] and proclaim.

"But I will tell you that which happened and was done for people who, like you, believed in the Messiah that he is the Son of the living God. Protonice, the wife of Claudius Caesar, whom Tiberius had made second in his kingdom when he went to war against the Spaniards who had rebelled against him, this woman, when Simon one of the disciples was in the city of Rome, saw the signs and wonders and astonishing powers which he performed in the name of the Messiah [and] recanted the paganism of her fathers in which she lived, even the pagan idols which she worshiped. She believed in our Lord the Messiah, worshiped and glorified[15] [him] along with those who were followers of Simon, and held him in great honor. Later she wished also to see Jerusalem and the places where the mighty deeds of our Lord had been performed. So she arose with zeal and went down from Rome to Jerusalem, she [f. 54a][16] and her two sons with her and her one virgin daughter.

"When she entered Jerusalem, the city came out

ܡܙܡܢܬܐ ܠܡܩܒܠܗ̇ . ܘܡܩܒܠܗ̇ ܗܘܘ ܒܐܝܩܪܐ ܪܒܐ
ܐܝܟ ܕܠܡܠܟܬܐ ܡܪܬܗ ܕܐܬܪܐ ܪܒܐ ܕܟܠܗ̇ ܪ̈ܘܡܝܐ.
ܡܛܘܠ ܕܐܦ ܕܒܟܒ ܗܘܐ ܡܕܒܪܢܐ ܘܦܩܘܕܐ ܒܒܕܬܐ
ܕܒܢܝܐ ܗܘܬ ܠܗ̇ ܬܡܢ: ܟܕ ܥܒܕ ܗܘܐ ܕܡܠܠ
ܡܠܟܐ ܐܙܠܬ ܗܘܬ ܠܬܡܢ: ܡܢ ܗܘܐ ܘܐܙܠ ܗܘܐ
ܡܕܝܢܬܗ̇ . ܘܟܠ ܗܘܐ ܠܘܬܗ̇ ܐܝܟܢܐ ܕܕܒܪܐ ܗܘܬ.
ܒܐܦܕܝܐ ܪܒܐ ܕܟܠܗ̇ ܡܠܟܘܬܗ ܕܐܪܘܕܣ ܡܠܟܐ.
ܘܟܕ ܚܙܬܗ ܗܘܬ ܡܠܟܬܗ ܗܘܬ ܒܚܕܘܬܐ ܪܒܬܐ.
ܘܐܦ ܗܝ ܐܝܟ ܕܠܫܡܫܘ ܒܐܦܐ. ܘܫܘܝ ܗܘܐ
ܠܗ̇ ܐܦ ܗܘ ܐܣ̈ܘܬܐ ܘܫܒ̈ܝܠܐ ܐܝܟ ܫܡܫܘ.
ܘܐܡܪܬ ܠܗ. ܫܘܐ ܠܟ ܟܠܝܠܬܐ ܗ̇ܝ ܕܐܙܕܪܘܦ
ܗܘܐ ܒܗ̇ ܡܫܝܚܐ. ܘܡܛܐ ܕܢܠܒܫܘܬܗ ܕܐܬܬܠܠ
ܗܘܐ ܒܗ ܡܢ ܡ̈ܕܝܐ. ܘܡܒܪܟܐ ܗ̇ܘ ܕܐܬܬܦܝܣ
ܗܘܐ ܒܗ. ܐܡܪܐ ܠܗ̇ ܗ̇ܘ ܡܛܘܠ. ܗܠܝܢ ܬܠܬܝܗܘܢ
ܕܢܟܝܐ ܡܠܟܘܬܟܝ ܕܬܬܒܝܢܝ. ܬܫܟܚ ܐܝܕܐ ܐܬܝܢ
ܕܡ̈ܕܝܐ. ܗ̇ܢܘܢ ܐܢܘܢ ܕܐܫܬܡܥܘ ܠܗܘܢ. ܘܠܐ
ܫܒܩܝܢ ܠܝ ܕܐܙܠ ܢܦܠܐ ܬܡܢ ܡܕܡ ܟܠܝܠܬܐ
ܘܡܒܪܐ. ܘܐܦܠܐ ܡܢܐ ܕܢܠܒܫܘܬܗ ܢܦܩܝܢ ܠܡܬܒܠ
ܠܝ. ܘܠܐ ܗܕܐ ܒܠܚܘܕ: ܐܠܐ ܐܦ ܡܪܕܘ ܪ̈ܕܦܝܢ
ܠܝ: ܕܠܐ ܢܦܩܢ ܘܢܚܪܘܢ ܒܥܡܗ ܕܡܫܝܚܐ. ܘܐܢ̈ܫܝܬܐ
ܡ̈ܗܝܡܢܬܐ (f. 54 b) ܘܐܦ ܒܢܬ ܐܘܪ̈ܫܠܡ ܣܒܥܝܢ ܠܝ.
ܘܟܕ ܫܡܥܬ ܗܘܬ ܗܠܝܢ. ܒܗ̇ ܒܫܥܬܐ ܦܩܕܬ ܗܘܬ
ܗ̇ܝ ܡܠܟܬܐ. ܘܐܬܟܢܫܘ ܗܘܘ ܡܕܒܝܢܗ̇: ܠܗܝܡܢܐ ܒܪ
ܢܒܝܐ ܒܗܘܢܐ. ܘܠܓܕܠܝܐ ܒܪ ܡܫܟܐ. ܘܠܣܗܕܐ ܒܪ
ܓܒܪܐ ܥܠܝܡ. ܪ̈ܒܐ ܘܦ̈ܩܘܕܐ ܕܡ̈ܕܝܢܐ. ܘܐܡܪܬ

to meet her. They received her in great honor as due to the lady queen of the great country of the Romans. [As for] James, who was made leader and prefect over the church which was built for us there, when he heard why she had come there, he arose and went to her and entered in before her where she was dwelling in the great palace of the royal house of King Herod. When she saw him she received him with great joy, even as [she had received] Simon Peter. He also showed her healings and miracles like Simon.

"She said to him: 'Show me Golgotha where the Messiah was crucified, the wood of his cross on which he was hung by the Jews, and the grave where he was laid.' James said to her: 'These three things which your majesty wishes to see are under the authority of the Jews. They control them and do not permit us to go and pray there before Golgotha and the grave. They are not even willing to give us the wood of his cross. And not only this, but they persecute us that we not preach or proclaim in the name of the Messiah. Often [f. 54b] also they confine us in prison.'

"When she heard these things the queen immediately ordered that they bring before her Onias, the son of Hanan the priest, Gedalia, the son of Caiaphas, and Judah, the son of Ebed Shalom, chiefs and officers of the Jews. She said

ܠܗܘܢ. ܐܫܠܡܘ ܠܓܓܘܠܬܐ ܘܡܪܢܐ ܘܡܫܝܚܐ
ܕܨܠܝܒܘܬܐ ܠܝܗܘܕܝ̈ܐ ܘܐܫܠܡ ܕܢܨܠܒܘܢ ܠܗ. ܘܠܐ
ܐܝܟ ܝܚܝܠܐ ܐܝܢܘܢ ܕܢܫܬܡܫܘܢ ܬܡܢ ܐܝܟ ܥܒ̈ܕܐ
ܕܬܫܬܡܫܘܢ. ܘܟܕ ܦܩܕ ܗܢܝܐ ܠܚܘܪ̈ܝܐ. ܡܚܬ
ܗܘܬ ܕܬܐܙܠ ܘܬܫܝܢܐ ܐܢܝܢ ܠܕܘܟܝܬܐ ܗܢܝܢ.
ܘܐܦ ܕܬܫܠܡ ܗܘܬ ܐܬܪܐ ܗ̇ܘ ܠܗ ܠܝܗܘܕܝ̈ܐ ܘܠܐܝܠܝܢ
ܕܐܝܬ ܗܘܘ ܒܗܘܢ. ܘܡܬܪܡ ܥܠܬ ܗܘܬ ܠܡܪܢܐ.
ܘܐܫܬܘܝܬ ܗܘܬ ܒܓܘܗ ܕܡܪܢܐ ܬܠܬܐ ܝܘܡܝܢ. ܘܢ̈
ܕܡܪ̈ܝܢ ܘܬܪܝܢ ܕܢ̈ܦܫܢ ܓܒ̈ܪܐ ܕܝܘܡܝܢ ܗܘܘ ܒܗܘܢ
ܡܢ ܡܫܝܚܐ ܘܡܢ ܗܘܠܝܢ. ܘܟܕ ܒܟܝܢܐ ܗ̇ܘ ܕܥܠܬ ܠܓܘ
(f. 8 a) ܡܪܢܐ: ܗܝ ܘܡܝܬܐ ܒܒܝܬܗ. ܒܗ̇ ܒܫܥܬܐ. ܢܦܠܬ
ܗܘܬ ܒܪܬܗ̇ ܒܚܘܠܬܐ ܘܡܝܬܬ. ܕܠܐ ܒܐܒܐ ܘܕܠܐ
ܒܪܘܚܐ. ܘܕܠܐ ܚܠܬܐ ܡܕܡ ܕܡܘܬܐ. ܘܟܕ ܚܙܬ
ܗܘܬ ܡܠܟܬܐ: ܕܡܝܬܬ ܠܗ̇ ܒܪܬܗ̇ ܡܢ ܫܠܝܐ.
ܒܪܟܬ ܗܘܬ. ܘܡܬܠܝܐ ܒܓܘܗ ܕܡܪܢܐ. ܘܐܡܪܐ
ܗܘܬ ܒܠܘܬܗ̇. ܐܠܗܐ ܕܝܗܒ ܢܦܫܗ ܠܡܘܬܐ
ܚܠܦ ܟܠܢ ܚ̈ܝܐ ܐܢܫܐ: ܘܐܙܕܩܦ ܒܐܬܪܐ ܗܢܐ:
ܘܐܬܩܒܪ ܒܩܒܪܐ ܗܢܐ: ܘܐܝܟ ܐܠܗܐ ܚܝܐ
ܩܡ ܡܢ ܘܐܘܩܡ ܒܗܘܢ ܠܥܢ̈ܝܕܐ. ܕܠܐ ܢܬܒܥܘܢ
ܡ̈ܕܘܢܐ ܘܩܘܪܒܢܐ: ܘܐܦ ܫ̈ܘܦܐ ܠܟ̈ܐܒܐ: ܗ̇ܘ
ܕܦܬܚܬ ܒܬܪܥܝܗܘܢ ܘܒܠܘܩܒܠܗܘܢ: ܘܒܕܪ̈ܫܬܗܘܢ
ܕܫܘܒܚܐ: ܘܚܝܘܗܝ ܒܗ ܒܗ ܡܫܠܡ ܒܗ: ܘܐܡܬܪܘ
ܕܟܠܗ ܕܗܘܬܗ̇ ܗܕܐ: ܚܠ ܕܒܓܘܪܬ ܒܐܠܗܐ ܕܗܟܢܐ
ܗܘܬ ܠܗܘܢ: ܘܐܘܕܝܬ ܒܡܫܝܚܐ ܕܠܐ ܚܕܐ.

to them: 'Deliver Golgotha, the grave, and the wood of the cross to James and to those who follow him. Let no man hinder them from offering service there according to the custom of their worship.'

"When she had thus ordered the priests, she arose to go and see those places, and to hand over the area to James and to those who were with him. Later when she entered the tomb she found within the tomb three crosses, one belonging to our Lord, and two to the brigands who were crucified with him on his right and left sides. In the moment that she entered the [f. 8a] tomb, she and her children with her, in that very instant, her virgin daughter fell down and died without pain, illness, or any cause of death. When the queen saw that her daughter had suddenly died, she kneeled and prayed within the tomb the following prayer: 'The God who gave himself to death for all people, being crucified in this place and laid in this tomb, and who as God gives life to all, arose and brought many to life with him, whom the crucifying Jews will not hear as well as the erring pagans, whose idols, graven images, and pagan worship I have renounced. Now they will look on me with mockery and say: "All this that has happened to her is because she renounced the gods whom she worshiped, acknowledged the Messiah whom she did not know,

ܗܘܬ ܠܗ: ܘܐܪܝܟܘܬ ܕܬܘܚܪ ܕܗܘܬ ܡܕܝܢܗ ܘܣܝܒܪܢܘܬܗ.
ܘܐܦ ܐܢܐ ܡܪܝ ܠܐ ܫܘܐ ܐܢܐ ܕܐܫܬܥܐ:
ܥܠ ܕܘܒܪܬܗ ܠܒܪܝܬܐ ܫܠܝܛܝܢ. ܐܝܟ ܫܘܐ ܡܛܠ
ܥܡܝ ܡܫܝܚܐ. ܕܠܐ ܢܬܒܥ ܒܐܬܪܐ ܗܢܐ.
(f. 8 b) ܐܝܟ ܕܢܒܥܘ ܚܠܝܢ ܒܝܠܕܘܬܟ. ܘܒܗ ܗܠܝܢ
ܒܝܠܕܘܬܗ ܐܡܪܐ ܗܘܬ: ܘܒܫܥܬܐ ܕܝܠܕܬܗ ܬܢܝܐ
ܗܘܬ ܡܕܡ ܥܠ ܐܝܠܝܢ ܕܐܝܬ ܗܘܐ ܬܡܢ. ܦܪܝܫ
ܠܘܬܗ ܒܪܗ ܡܫܝܚܐ ܘܐܡܪ ܠܗ. ܥܡܟ ܡܕܡ
ܕܐܡܪ ܐܢܐ ܡܕܡ ܡܠܘܬܟܝ. ܐܢܐ ܗܟܢܐ ܗܘܝܬ
ܐܢܐ ܒܪܚܡܐ ܘܒܡܫܝܚܘܬܟ. ܕܗܢܐ ܡܘܬܐ ܕܗܢܐ
ܚܘ. ܕܡܢ ܥܠܝܟ. ܠܐ ܗܘܐ ܦܪܘܫܘܬ ܗܘܐ.
ܐܠܐ ܦܘܪܢܐ ܗܘ ܗܢܐ ܬܡܝܡܐ. ܕܐܠܗܐ ܢܬܒܣ
ܒܟ. ܘܠܐ ܗܘܐ ܕܢܗܘܐ ܢܬܒܥ. ܐܝܟ ܕܒܟܪܘ
ܐܝܠܝܢ ܕܢܣܒܘ ܗܕܐ. ܗܐ ܒܠܝ ܚܝܝ ܠܡܕܒܪܐ
ܘܐܬܚܝܢ ܚܝ ܒܟ ܬܠܬܐ ܙܒܢܐ. ܘܠܐ ܝܕܥܝܢ ܚܝ
ܐܝܟ ܡܫܘܚܝ ܙܒܢܐ. ܗܘ ܕܐܬܬܠܝ ܒܗ ܡܫܝܚܐ.
ܒܡܘܬܗ ܕܗܕܐ ܚܝܝ. ܡܫܝܚ ܚܝ ܕܚܝܝ ܘܐܝܟ
ܐܝܟ ܙܒܢܐ ܕܡܫܝܚܐ. ܠܐܚܪܢ ܡܘܗܒܐ ܡܫܝܚܐ
ܡܢ ܐܝܠܝܢ ܕܡܫܡܫܝܢ ܒܗ ܘܦܠܚܝܢ ܠܗ. ܗܝ ܕܝܢ
ܡܠܘܬܐ ܦܪܘܫܘܬܐ: ܒܕ ܕܝܢ ܡܕܒܪܐ ܗܘܬ ܢܫܡܬܗ
ܒܟܪܝܐ ܗܘ. ܝܕܥܬ ܗܘܬ ܒܪܚܡܬܗ. ܕܚܫܝܫܐܝܬ
ܘܟܝܢܐܝܬ ܘܬܘܬܒܝܬ ܐܡܪܐ ܗܘܐ ܒܪܗ ܦܘܢ ܗܠܝܢ
ܘܫܒܩܬ ܗܘܬ ܒܐܬܪܗ (f. 9 a) ܚܕ ܡܢ ܙܒܢܐ.
ܘܡܬܬ ܥܠ ܫܠܕܐ ܕܒܪܬܗ ܕܪܚܡܐ ܗܘܬ ܡܕܡܢܗ.
ܘܐܡܪܬ ܗܘܬ ܒܝܠܕܘܬܗ. ܐܠܗܐ ܕܚܝܝ ܗܘܐ ܚܝܠܐ

and went to honor the place of his tomb and crucifixion." So if, my Lord, I am unworthy to be heard because I worshiped creatures instead of you, have regard for your august name, that it not be reviled in this place [f. 8b] as they have reviled you in your crucifixion.'

"While she was saying these things in her prayer and was relating [them] in the suffering of her crying out in front of all who were there, her oldest son came near and said to her: 'Listen to what I have to say, your majesty. In my mind and reasoning I think that this sudden death of my sister was not in vain; it was rather a marvelous visitation by which God could be glorified--it did not happen that his name be blasphemed--in order that those who hear might believe. Look, we entered the tomb and found three crosses in it. We do not know which one of them is the cross upon which the Messiah was hung. By the death of my sister we are able to perceive and learn which cross is the Messiah's because the Messiah will not turn away from those who believe in and seek him.'

"Queen Protonice, although at that moment being very bitter inside, recognized that her son had spoken these things wisely, rightly, and straightforwardly. She took with her hands [f. 9a] one of the crosses and placed it upon the corpse of her daughter who was lying before her. Then she prayed: 'O God, you who have demonstrated wonderous powers

ܬܫܡܫܬܐ ܕܐܬܪܐ ܗܢܐ: ܐܝܟ ܕܫܡܥܢܢ ܘܫܡܥܝܢ.
ܐܝ ܕܠܝܟ ܗ̇ܘ ܡܪܝ، ܗܢܐ ܐܒܘܢܐ: ܘܟܕ ܐܬܬܒܠܒܠܬ
ܗܘܬ ܐܒܘܢܘܬܟ ܡܢ ܡܪ̈ܥܝܢ. ܫܘܐ ܗܘܐ ܣܓܝܐ ܟܪܝܗܐ
ܘܬܘܟܠܢܐ ܕܐܠܗܘܬܟ. ܕܟܠܗ ܐܒܘܢܘܬܐ ܥܒܪܐ
ܗܘܬ. ܘܬܘܒ ܗܕܐ ܒܪܬܝ. ܘܬܘܩܦ ܘܐܬܥܒܕ ܒܗ̇
ܥܡܟ. ܒܪ̈ ܦܢܝܐ ܢܦܫܗ̇ ܠܟܘ ܦܓܪܗ̇. ܘܒܟܗܢܘܬܗ
ܘܐܦ̈ܩܝܢ ܘܣܪܘ ܡܟ̈ܪܝܢ. ܘܡܦܩܬ ܗܘܬ ܠܦܘܪܐ
ܡܟܣܐܐ ܡܢ ܒܬܪ ܕܐܓܪ̈ܬ ܗܘܬ ܡܒܢܐ. ܘܟܬܪܬ.
ܥܠܬܗ ܗܘܬ ܠܐܒܘܢܐ ܗ̇ܘ ܡܢ ܥܠܬܐ ܕܒܪܬܗ̇.
ܘܦܓܬ ܗ̇ܘ ܣܓܝܐ. ܘܐܓܪܬ ܗܘܬ ܟܬܒ ܒܛܠܘܬܗ̇.
ܐܠܗܐ ܕܒܪ̈ܚܡܘܗܝ ܘܢܛܪܢ ܠܟܠܗܝܢ ܘܒܪ̈ܬܐ: ܘܡܠܟܐ
ܒܢ̈ܝܢܐ ܕܒܠܒܘܢ ܒܪ̈ܝܫܐ ܕܡܬܒܥܝܢ ܠܗ̇ܘܬܗ:
ܘܠܐ ܡܫܡܥܐ ܡܢ ܒܥܘܬܐ ܕܐܠܝܢ ܕܚܝܢ ܠܗ̇.
ܐܝ ܕܠܝܟ ܗ̇ܘ ܡܪܝ، ܗܢܐ ܐܒܘܢܝ. ܫܘܐ ܗܘܐ ܣܓܝܐ
ܕܣܓ̈ܝܐܝܢ ܐܝܟ ܕܡܟܪܟ ܐܢܬ. ܘܬܘܒ ܗܕܐ ܒܪܬܝ
ܘܬܘܩܦ. ܘܒܟܗܢܘܬܗ (f. 9 *b*) ܣܓܝܐܐ ܘܐܪ̈ܝ، ܠܒܪ̈ܬܟ
ܣܠܩܝܢ. ܘܢܫܪܘ ܡܟܝܢ̈ܬܐ ܘܒܝ̈ܬܪܐ. ܕܡܬܓܒܝܢ
ܦܘܩܕܢܘ ܠܡܒܘܣܬܟ. ܡܢ ܐܝܠܝܢ ܕܦܩܝܢ ܒܟ.
ܘܐܓܪܬ ܗܘܬ ܠܦܘܪܐ ܡܟܣܐܐ ܒܬܪ ܗܠܝܢ ܘܥܠܬܗ
ܗܘܬ ܠܐܒܘܢܐ ܗ̇ܘ ܕܬ̈ܪܝܢ ܡܢ ܒܪܬܗ̇. ܘܫܩܠܬ ܗܘܬ
ܠܐܒܘܢܐ ܗ̇ܘ ܕܬܠܬܐ. ܘܡܘܬܒܗ ܒܠ ܒܪܬܗ̇. ܘܟܕ
ܒܟܢܐ ܗܘܬ ܕܐܦܪܩ ܗܘܬ ܒܢܝ̈ܗ̇ ܠܥܡܟܐ: ܘܬܓܬܝ
ܗܘܬ ܒܦܘܡܗ̇ ܒܝܠܘܬܐ. ܒܗ̇ ܒܥܕܬܐ ܘܟܘ ܒܟܕܢ.
ܐܝܟ ܡܓܠܦ ܬܡܟܪܐ ܠܒܢܝܐ. ܕܡܦܟ ܗܘܐ
ܠܐܒܘܢܐ ܗ̇ܘ ܠܥܠܕܐ ܕܟܪܬܗ̇. ܣܘܝܬ ܗܘܬ ܒܪܬܗ̇.

in this place in order that we might hear and believe, if this cross is yours, my Lord, and on it your humanity was hung by shameless men, show the strong and mighty power of your divinity which dwells in the humanity and let my daughter live and arise that your name might be glorified by her when her soul returns to her body. May those who crucified you be ashamed and may those who worship you rejoice.' When she had waited a long while after she had said this, she took up the cross from the corpse of her daughter, put another one in place, and again prayed: 'O God, by whose command worlds and creatures exist, who takes pleasure in the lives of all people who turn to him and who does not turn away from the request of those who seek him, if this is your cross, my Lord, show the power of your victorious deeds as you are accustomed and let my daughter live and arise [f. 9b]. Let the pagans be ashamed who are worshipers of your creation rather than of you. May those who are true believers make confession that their mouth might be opened to praise you before those who deny you.' After she had waited a long time she took the second cross from her daughter and taking the third cross placed it upon her daughter. When she attempted to raise her eyes to heaven and open her mouth in prayer, immediately, in that instant, in the twinkling of an eye, as the cross touched the corpse of her daughter, her daughter came back to life,

ܘܡܫܒܚܬ ܗܘܬ ܡܢ ܟܠܢܫ. ܘܡܫܬܒܚܐ ܗܘܬ
ܠܐܠܗܐ ܕܐܚܝܢܗ̇ ܗܘܐ ܒܡܘܬܗ̇. ܀ ܡܠܟܬܐ ܕܝܢ
ܦܪܘܛܢܝܩܐ: ܟܕ ܚܙܬ ܗܘܬ ܕܐܝܟܢܐ ܚܝܬ ܗܘܬ
ܒܪܬܗ̇. ܐܬܕܠܚܬ ܗܘܬ ܘܐܬܪܗܒܬ̇ ܠܒܗ̇. ܘܟܕ
ܪܗܝܒܐ ܗܘܬ ܡܫܒܚܐ ܗܘܬ̇ ܠܡܫܝܚܐ. ܘܡܗܝܡܢܬ
ܗܘܬ ܒܗ̇. ܕܒܪܗ ܗܘ ܕܐܠܗܐ ܚܝܐ. ܐܡܪܐ ܠܗ̇
ܒܪܬܗ̇: ܚܙܝܬܝ، ܡܪܬܝ. ܕܐܠܘ ܗܕܐ ܠܐ ܗܘܬ ܡܗܝܡܢܐ.
ܠܒܪܐ ܗܘܬ ܕܫܡܥܝܢ ܗܘܘ ܐܘܦܝܐ ܗܘܐ ܕܡܫܝܚܐ
ܕܨܠܒܘ ܒܗ ܥܠܝܒ. (f. 10 *a*) ܘܐܚܕܝܢ ܗܘܘ. ܘܡܨܥܪܝܢ
ܗܘܘ ܕܚܕ ܡܢ ܩܠܗ̱ ܟܢܫܐ ܡܠܠܐ. ܘܐܡܪ ܗܘܐ
ܠܗܘܢ ܘܡܬܕܝܢܝܢ ܘܡܫܬܒܚܝܢ ܐܢܬܘܢ ܒܗ̇ ܕܗܕܐ ܦܓܪ.
ܘܫܠܛܬ ܗܘܬ ܠܡܘܒܠܗ ܕܡܫܝܚܐ. ܘܣܒܠܬܗ ܗܘܬ
ܠܡܫܘܚܬܗ. ܐܝܟ ܕܢܬܒܛܠ ܗܘܐ ܒܐܘܪܚܐ ܪܒܐ.
ܘܟܕ ܬܘܒ ܗܘܬ ܕܢܬܩܪܒܐ ܗܘܐ ܒܚܝܠܐ ܪܒܐ ܘܡܬܕܪܬܐ.
ܥܠ ܠܡܕܝܢܬܐ ܕܐܘܪܫܠܡ ܗܘܐ ܒܗ̇: ܘܟܠ ܡܕܝܢܐ
ܕܐܬܘܣܦ ܗܘܐ ܒܗ. ܐܝܟ ܕܢܬܚܙܝ̈ܢ ܕܡܠܟܬܐ ܗܠܝܢ.
ܘܢܦܩܘ ܗܘܐ ܬܡܢ ܒܗ ܘܟܕܐ ܕܝܠܬܗ̇ ܘܒܢܝܐ
ܕܬܫܡܫܬܐ. o . o o:o ܡܠܟܬܐ ܕܝܢ: ܟܕ ܚܙܬ ܗܘܬ
ܐܢܫܘܬܐ ܒܘܠܝܗ̇ ܕܡܕܝܢܬܐ: ܕܡܫܬܥܐ ܗܘܬ ܠܚܕܬܐ
ܗܕܐ ܕܗܘܬܪܐ ܗܘܢܝ. ܦܩܕܬ ܗܘܬ̇. ܕܕܠܐ ܬܫܘܝܬܐ
ܕܐܬܚܙܝܢ ܕܡܠܟܬܐ. ܬܐܙܠ ܗܘܬ ܒܪܬܗ̇ ܒܥܕܗ̇:
ܠܡܐܬܐ ܠܐܦܕܢܐ ܕܡܠܟܐ ܕܫܪܝܐ ܗܘܬ ܒܗ.
ܐܝܟ ܕܬܫܬܘܐ ܗܘܐ ܥܠ ܐܝܕܐ ܘܢܫܒܚ ܠܐܠܗܐ.
ܟܡܐ ܕܝܢ ܕܬܘܕܝܬܐ ܘܕܫܘܒܚܐ: ܩܠܗ̱ ܕܐܝܕܐ ܗܘܘ
ܒܫܘܪܝܗ̇ ܕܗܕܐ ܘܐܬܟܡܪܘ. ܐܬܒܝܫܘ ܗܘܘ

suddenly arose, and glorified God who had restored her to life by his cross. Queen Protonice, when she saw how her daughter had come back to life was moved and greatly frightened. But though she was perturbed, she glorified the Messiah and believed concerning him, that he is the Son of the living God.

"Her son said to her: 'My Lady, you have seen that if this had not occurred today, it might perhaps have happened that they would have left the cross of the Messiah, by which my sister came back to life [f. 10a], and would have taken and honored one belonging to the murderous robbers. Now behold, we have seen and rejoiced that the Messiah has been glorified by this which he has done.'

"She took the cross of the Messiah and gave it to James that it might be kept in great honor. She also gave orders that an especially great edifice be built over Golgotha where he was crucified and over the tomb where he was laid in order that these places might be honored and that there there might be an appointed place for prayer and an assembly for worhsip.

"When the queen saw all the people of the city who had gathered to the spectacle of this event, she commanded that without the veil of honor suited for queens, her daughter should go with her openly to the palace of the king where she was staying in order that all the people might see her and glorify God. Then the crowd of Jews and pagans who had been happy at the beginning of this affair and cheerful became very sad

ܒܫܘܠܡܗ̇ ܕܗܕܐ ܟܠܗ̇. ܡܣܬܟܝܢ ܗܘܘ ܓܒܪ ܐܠܘ ܠܐ
ܗܘ̣ܬ ܗܕܐ. (f. 10 b) ܕܫܪܝܢ ܗܘܘ. ܕܡܬܟܠܠܬ̇
ܕܗܕܐ. ܘܟܢ̈ܘܫܝܐ ܡܫܡܫܝܢ ܗܘܘ ܒܗ ܒܡܫܝܚܐ.
ܡܫܪܐܝܬ ܕܝܢ ܕܫܪܝܢ ܗܘ̣ܘ. ܕܟ̈ܢܘܫܝܐ ܐܬܘ̈ܬܐ
ܕܗܘ̈ܝܢ ܗ̈ܘܝ، ܒܥܡܡܗ ܡܢ ܒܬܪ ܫܘܠܡܗ̇. ܬܘܒ ܡܢ
ܗܠܝܢ ܕܗ̈ܘܝ، ܡܕܡ ܫܘܠܡܗ. ܘܐܦ ܠܐܬܘ̈ܬܐ ܕܥܬܝ̈ܕܢ.
ܐܝܟ ܗܘܐ ܠܟܘ ܕܗܘܕܢܐ ܗܘܐ ܕܐܬܬܪ. ܘܐܦ
ܠܥܠܝ̈ܬܐ ܣܓܝ̈ܐܢ. ܕܡܦܩܕܝܢ ܗܘܘ ܠܡܫܝܚܐ. ܘܗܘ̣ܐ
ܗܘܐ ܥܠܝܐ ܒܟܢܘܫܬܐ ܕܐܢܛܝܘܟ ܘܡܕ̈ܢܚܝܬܐ ܕܣܘܪ̈ܝܗ̇.
ܘܐܝܠܝܢ ܕܠܐ ܚܙܘ ܗܕܐ ܟܡ ܐܝܠܝܢ ܕܚܙܘ ܗܕܐ.
ܡܫܬܡܥܝܢ ܗܘܘ ܠܐܠܗܐ. ܘܟܕ ܫܠܡܐ ܗܘܬ ܡܠܟܘܬܐ
ܡܢ ܐܪܥܠܡ ܠܪܗܘܡܝܐ ܡܫܝܚܝܬܐ. ܟܠ ܡܫܝܚܝܬܐ
ܕܒܐܠܗܐ ܗܘܬ ܠܗ̇. ܠܫܘܬܐ ܕܒܪܬܗ̇ ܣܓܝܐܝܢ ܗܘܘ
ܕܫܘܠܡܗ. ܘܟܕ ܓܠܬ ܗܘܬ ܠܪܗܘܡܝܐ. ܐܫܬܒܚܬ
ܗܘܬ ܡܕܡ ܫܠܡܐܝܬ ܡܟܝܠ: ܦܩܝܢ ܗܠܝܢ ܕܗ̈ܘܝ، ܗ̈ܘܝ.
ܘܟܕ ܫܒܝܢ ܗܘܐ ܡܟܝܠ. ܦܫܛ ܗܘܐ ܕܢܦܘܩ
ܗܘܘ ܒܫܠܡܗ ܡܫܘܕܥܐ ܡܢ ܐܬܪܐ ܕܐܬܦܠܣܬܐ.
ܟܕ ܒܫܠܡܗ ܐܬܪܐ ܗ̇ܘ. ܘܡܫܪܝܐ ܗܘܐ ܡܬܦܠܠ
ܗܘܐ ܡܢ ܦܠܚ̈ܐ. ܘܐܦ ܡܕܡ ܫܡܠܝܗ ܒܟܦܐ.
ܐܫܬܒܚܬ ܗܘܬ (f. 11 a) ܦܝ ܗܕܐ ܕܗܘ̣ܬ.
ܒܠܡܕܡ ܗܝܠ ܕܗܘܝܢ ܥܠܝ̈ܬܐ ܣܓܝ̈ܐܢ. ܡܕܡ ܟܠ
ܐܢܫ ܡܚܙܐ ܗܘܐ. ܕܢܒܥܘܢ ܐܦ ܐܝܠܝܢ ܕܠܐ
ܡܕܝܢ. ܐܝܠܝܢ ܕܒܐܝܕܝܗܘܢ ܦܬܪ ܡܫܝܚܐ ܟܠܐܝܬ.
ܕܢܬܒܥܘܢ ܡܢܗ ܡܢ ܟܠܢܫ. ܘܗܠܝܢ ܕܐܬܝܗ ܡܕܡܝܢ:
ܕܬܕܘܢ ܘܬܬܒܣܡܘܢ ܒܡܟܐ ܪܒܐ ܗܡܝܢܘܬܗ

at the end of it. They would have been pleased if this [f. 10b] which they had seen had not happened, for because of it many had believed in the Messiah. Increasingly, they saw that the signs which had occurred by his name after his[17] ascension were many times more than those which had occurred before his ascension. Moreover the news of this event which had happened traveled to distant places, even to my fellow apostles who were proclaiming the Messiah. So there was peace in the churches of Jerusalem and the cities around it. Those who had not seen this [event] with those who had seen it glorified God.

"When the queen went up from Jerusalem to the city of Rome every city which she entered thronged together to catch a glimpse of her daughter. Upon entering Rome she related the things which had happened to Claudius Caesar. When Caesar heard it, he commanded all the Jews to leave the country of Italy,[18] since in this whole region this event was spoken of by many. She also told Simon Peter [f. 11a] that which had happened.

"Everything, therefore, which our fellow apostles were doing we preach to everyone in order that those who do not know might also hear the things which the Messiah was doing openly by our hands in order that our Lord might be glorified by everyone. I have told you these things so that you might know and understand how great the faith

ܕܡܫܝܚܐ. ܠܐܠܗ ܕܡܬܘܕܐ ܠܗ ܫܘܒܚܬܐ .܀.܀.܀
ܡܣܘܒܠ ܕܝܢ ܡܕܒܪܢܐ ܕܒܝܬܐ ܕܐܘܪܫܠܡ: ܗܘ
ܕܟܠܢܝܗ̈ܘܢ ܣܝܡܢ ܗܘܐ ܠܡܘܕܪܢܐ ܗ̇ܘ. ܟܬܒܗ
ܗܘܐ ܘܡܕܒܪ ܠܥܠܝܡܐ ܣܓܝ̈ܐ. ܠܡܕܝ̈ܢܬܐ
ܕܐܬܬܪ̈ܘܗܝ. ܘܐܦ ܗܘܝ ܥܠܝܡ̈ܐ. ܟܬܒܝܢ
ܘܡܕܒܪܝܢ ܠܗ ܠܝܘܣܦ. ܟܠ ܡܕܡ ܕܨܒܐ ܡܫܝܚܐ
ܒܐܝ̈ܕܘܗܝ. ܘܡܬܦܪܢܣ ܡܕܡ ܟܠܗ ܒܝܕܐ ܕܒܝܬܐ
ܕܒܝܬܐ. ܘܒܪ ܫܒܥ ܗܘܐ ܐܟܪܙ ܡܠܟܐ ܗ̇ܢܝܢ
ܗܠܝܢ: ܗܘ ܘܐܪܣܛܘܒܘܠܘܣ ܐܚܘܗܝ: ܘܫܠܝܛܘܬ ܒܪܬ
ܡܘܪܕܬܐ: ܘܦܣܘܪ ܘܡܕܒܫܡܟܐ: ܘܡܟܣܢܕܪܘܣ ܘܒܝܕܘ
ܘܐܚܪܢ̈ܐ ܘܟܕ ܡܠܟܐ: ܟܕ ܫܪܒܐ ܕܡܫܝܚܝܗܘܢ.
ܫܢܝ ܗܘܘ ܠܗ. ܘܡܫܡܫܝܢ ܗܘܘ ܠܐܠܗܐ ܒܠܗܘܢ.
ܘܒܡܫܝܚܐ ܡܕܝܢ ܗܘܘ. ܐܡܪ ܠܗ ܐܟܪܙ ܡܠܟܐ
ܠܐܢܘ. ܝܘܣܦ ܐܒܐ ܕܟܠܡܕܡ ܕܫܒܩܝܢ (f. 11 b)
ܡܢܝ ܣܡܟܐ: ܘܫܪܒܐ ܗܘܐ ܕܐܣܝܘܬܐ. ܡܕܡ
ܟܠܗ̇ ܡܕܝܢܬܐ ܬܐܡܪܙ ܠܝܚܝܕ ܒܠܐܝܘܬ. ܘܫܡܥܢ
ܟܠܗ ܒܢܘܗܝ ܕܡܫܝܚܐ ܕܫܠܡ ܐܢܬ
ܠܝ. ܘܬܘܒ ܘܬܘܦܐ ܒܡܠܟܐ ܕܫܠܡ ܐܢܬ ܠܢ
ܘܬܘܒܝܢܘܢ ܨܠܝ̈ܢܐ ܕܒܝܬܐ ܦܘܩܕܢܐ ܒܗ
ܒܡܫܝܚܐ. ܒܐܪܥܬܐ ܕܫܪܪܬ ܦܘܫܬ ܠܗ. ܘܢܣܒܘܢ
ܕܐܠܗܐ ܗܘ ܒܪ ܐܠܗܐ. ܘܬܠܡܝܕܘܗܝ ܐܢܬ ܫܪܪܐ
ܘܡܗܝܡܢܐ. ܘܫܠܡܗ ܫܡܫܐ ܒܟܪ̈ܝܐ ܡܗܘܐ
ܐܢܬ. ܡܕܡ ܐܝܟ ܕܨܒܝܢ ܕܢܡܫܚܘܢ ܒܗ. ܘܒܬܪ
ܡܘܟܐ ܗ̇ܘ. ܦܩܕ ܗܘܐ ܐܟܪܙ ܠܒܢܝ̈ܐ ܒܪ ܒܢܝ̈ܐ:
ܗ̇ܘ ܕܐܬܬܘܝ̈ ܗܘܐ ܡܢ ܒܐܒܐ ܡܕܝܢܬܐ ܕܬܫܠܘܗܝ.

D

of the Messiah is to those who truly follow him.

"Then James the leader of the church of Jerusalem, who had seen the event with his own eyes, wrote about it and sent word to my fellow apostles in the cities of their districts. Also the apostles themselves wrote accounts and informed James about everything which the Messiah had done through them. These were read to the whole congregation of the people of the church."

When King Abgar heard these things, he, Augustine his mother, Shalmath the daughter of Meherdath, Paqur, Abdshemesh, Shmeshgram, Abdu, Assai, and Bar Calba, with the rest of their companions, rejoiced greatly and all of them glorified God having believed in the Messiah.

King Abgar said to Addai: "I wish that everything which we have heard [f. 11b] from you today, as well as the rest of the other things, you would speak openly to the whole city that everyone might hear the proclamation of the gospel of the Messiah which you are teaching us, that he might be contented and established in the teaching which you are teaching us, that many might understand that I displayed a just faith in the Messiah by the letter which I sent to him, that they might know that the Son of God is God, that you are his true and faithful disciple, and that you demonstrate his glorious power with deeds before those who are willing to believe in him."

The next day Abgar commanded Abdu the son of Abdu who was healed from his grievous foot disease

ܕܢܫܕܪ ܗܘܐ ܒܪܘܐܿ. ܘܢܦܪܐ ܗܘܐܿ ܒܟܠܗܿ ܡܕܝܢܬܐ.
ܘܬܬܒܥܐ ܗܘܬ ܐܝܬܘܬܐ ܒܟܠܗܿ. ܠܒܪ̈ܝܐ ܘܠܥܡܐ.
ܠܕܘܒܪܬܐ ܗܿܝ ܕܡܬܦܪܢܣܐܿ ܒܝܕ ܬܪܥܐ. ܠܐܬܪܐ
ܪܘܚܢܐ ܕܒܝܬ ܒܣܝܕܐ ܒܪܗ ܕܒܒܕܢܫ. ܕܢܫܟܚܘܢ
ܗܘܘ ܡܠܦܘܬܗ ܕܐܒܝ ܥܠܝܡܐ. ܘܕܐܡܒܝܐ ܩܠܝܠ
ܗܘܐ. ܘܒܥܡ ܓܒܝܐ ܡܐܦܐ ܗܘܐ. ܘܒܐܢܝܐ
ܚܠܝܐ ܐܬܩ̈ܢܬܐ ܗܠܝܢ ܒܢܝܕ ܗܘܐ. ܘܬܕܡܪ̈ܬܐ
ܗܠܝܢ (f. 12 a) ܦܝܪ ܗܘܐ. ܡܛܠ ܕܒܢ ܐܦܝܣܗ
ܗܘܐ ܠܐܒܝܢ ܡܠܟܝ. ܚܐܪܐ ܗܘ ܒܠܚܘܕ
ܕܡܢܚܡ ܗܘܐ ܡܕܡܗܘܢ ܘܢܐܦܗ̇ ܗܘܐ. ܒܪ
ܐܦܝܣܗ ܗܘܐ ܒܟܠܗܘܢ ܕܡܫܝܚܐ. ܗܘ ܕܐܦܝܣܬܐ
ܦܝܣܐܿ ܠܐ ܐܫܬܘܝ ܗܘܐ ܕܢܐܦܝܣܝܗܝ. ܘܠܒܪܐ
ܐܒܘܢܐܿ ܐܦܝܣܗ ܗܘܐ ܒܡܫܒܚܘܬܐ ܕܡܫܝܚܐ.
ܘܒܪ ܐܬܒܥܝܬ ܗܘܬ ܒܟܠܗܿ ܡܕܝܢܬܐ ܠܒܪ̈ܝܐ
ܘܠܥܡܐ: ܐܝܟ ܕܦܩܕ ܗܘܐ ܡܠܟܐܿ. ܦܢܝܢ ܗܘܘ
ܬܚܒ. ܒܗܘܕܐ ܘܠܟܘ. ܘܣܦܝܢ ܘܒܪ ܟܠܒܐ.
ܘܠܒܦܢܝܐ ܘܢܘܪܘܢ ܘܡܫܟܢܝܢ. ܒܗ ܣܒܪ̈ܘܗܝ
ܕܐܒܗܬܗܘܢ. ܕܢܫܒ ܘܣܐܪ̈ܐ ܕܡܠܟܐ. ܘܦܩ̈ܘܕܐ
ܘܦܠܫ̈ܐ ܒܟܠܗܘܢ. ܘܐܫܢܐ ܐܘܚ̈ܕܢܐ ܕܐ̈ܢܫܐ
ܘܡܗ̈ܘܕܝܐ. ܘܫ̈ܢܝܐ ܕܐܝܬ ܗܘܐ ܒܗ ܒܡܕܝܢܬܐ
ܗܢܐ: ܘܐܡܦ̈ܢܝܐ ܕܐܬܬ̈ܐ ܕܡܢ ܐܘܪܟܐ ܘܡܢ
ܣܢܝ. ܘܫܪܒܐ ܕܒܡܕ̈ܘܗܝ ܕܐܬܪܐ ܗܢܐ ܟܠܗ
ܕܒܝܬ ܢܗܪܝܢ. ܡܢܝܢ ܗܘܘ ܟܠܗܘܢ. ܕܢܒܥܘܢ
ܗܘܘ ܡܠܦܘܬܗ ܕܐܒܝ. ܕܒܥܘܢ ܗܘܘ ܟܠܗܘܢ.
ܕܬܠܡܝܕܘܗܝ ܗܘ ܕܡܫܝܚ. ܗܿܘ ܕܐܦܝܣ ܗܘܐ

to send a public crier to call all the city, that all the people should assemble, both men and women, at the place which is called Beththebre, a large area belonging to the house of Arida the son of Abdnahad. [This was] in order that they might hear the teaching of Addai the apostle, how he taught, in whose name he performed cures, and by what power he did these signs and accomplished these wonders [f. 12a]. Because when he had healed King Abgar, only the nobles were present before him. They alone had seen him as he, by the word of the Messiah, healed the one whom many physicians had not been able to heal [that is], the one whom a foreigner had healed by the faith of the Messiah.

When all the city had assembled, both men and women, as the King had commanded, Avida, Labbu, Haphsai, Bar Calba, Lebubna, Hesrun, and Shmeshgram stood there with their companions who, like them, were princes and nobles of the king. The officers also [stood] and all of the workmen and craftsmen, both Jews and Gentiles who were in the city, the foreigners of the regions of Soba and Haran and the rest of the inhabitants of the whole region of Mesopotamia. They all stood in order to hear the teaching of Addai about whom they had heard that he was a disciple of Jesus, who had been crucified

ܒܐܪ̈ܥܠܦ. ܘܡܟܐܒܐ ܗܘܐ ܐܘ̈ܠܨܢܐ ܒܢܦܫܗ. ܘܫܪܝ
ܗܘܐ ܦܘ ܐܕܢ̈. ܕܢܐܡܪ ܗܘܐ ܠܗܘܢ ܗܒܢܐ.
ܥܡܗܘܢ (f. 12 b) ܒܠܒܗܘܢ ܘܐܬܒܝܢܘ. ܒܡܕܡ
ܕܐܦܪ̈ܝܢܐ ܡܕܡܝܢܗܘܢ. ܕܠܐ ܗܘܐ ܐܝܟܢܐ ܐܝܬܝ,
ܕܗ̈ܡܟܢܝܢܐ ܘܒܡܘܪ̈ܐ ܕܐܘܡܢܘܬܐ ܕܒ̈ܢܝ ܐܢܫܐ.
ܐܠܐ ܐܝܬܝ, ܬܠܡܝܕܘܗܝ ܕܫܡܥܘܢ ܡܫܝܚܐ̈. ܐܘܗܐ
ܕܢܦ̈ܫܬܐ ܡܠ̈ܦܬܐ. ܘܦܪܘܩܐ ܕܫܒܐ ܒܬ̈ܪܐ.
ܒܪܐ ܕܐܠܗܐ ܕܢܒܥܬ ܗܘܐ ܡܢ ܫܡܝܐ: ܘܠܒܫ
ܗܘܐ ܦܓܪܐ ܘܝܗܒ ܗܘܐ ܒܪܢܫܐ. ܘܝܗܒ ܗܘܐ ܢܦܫܗ
ܘܐܙܕܩܦ ܚܠܦ ܟܠܗܘܢ ܒ̈ܢܝ ܐܢܫܐ.. ܘܒܗ ܐܬܬܠܠ
ܗܘܐ ܒܠ ܡܫܗ. ܐܣܝܐ ܗܘܐ ܫܡܫܐ ܒܪܘܡܐ.
ܘܒܕ ܒܠ ܗܘܐ ܠܒܗ ܡܒܪܐ. ܐܬܢܣܒ ܗܘܐ ܘܢܦܩ
ܗܘܐ ܡܢ ܡܒܪܐ ܒܡ ܗܘ̈ܦܐ. ܘܐܢܠܝܢ ܕܢܦܠܘ
ܗܘܘ ܡܒܪܐ. ܠܐ ܣܘ ܗܘܘ ܐܡܒܝܐ ܢܦܩ ܗܘܐ
ܡܢ ܡܒܪܐ. ܘܡܒ̈ܪܐ ܕܪܘܡܐ. ܗܘܝܢ ܗܘܦ ܒܪܘ̈ܪܐ
ܘܡܫܒ̈ܚܢܐ ܕܡܫܒܚܬܗ. ܗܘ ܕܐܠܘ ܠܐ ܝܗܒ ܠܐ
ܡܟܐܬ ܗܘܐ. ܡܛܠ ܕܡܒܪܗ ܗܘ ܕܡܫܘܬܐ ܡܡܘܢܐ.
ܘܐܒܠܘ ܠܐ ܕܢܦܩ ܠܗ. ܐܦ ܠܐ ܬܘܒ ܦܓܪܐ
ܠܦܫ ܗܘܐ. ܒܝܕ ܕܗܘܘ ܒܥܠܗ ܕܦܓܪܐ. ܗܘ
ܒܪ ܝܘܡܢܐ ܕܐܬܒܢܝܗ ܗܘܐ ܠܠܒܐ ܕܡܢ ܒܬܘܠܘܬܐ.
ܗܘ ܬܘܒ ܬܫܬܗ ܗܘܐ ܠܡܫܐ (f. 13 a) ܕܡܫܘܬܐ.
ܘܐܡܝܢ ܗܘܐ ܕܒܘܪܬܐ ܕܐܠܗܘܬܗ ܡܪܘܡܬܐ. ܗܘ
ܕܐܬܘܗܝ, ܗܘܐ ܝܬܒ ܐܒܘܗܝ, ܡܢ ܡܬܘܡ ܘܡܢ
ܥܠܡ. ܗܘ ܕܡܠܠܗܘܢ, ܗܘܘ ܢܒ̈ܝܐ ܕܡܢ ܡܕܡ
ܒܪ̈ܐܢܫܗܘܢ ܘܦܪܘ ܗܘܘ ܕܦܓܘܬܐ ܕܠܗ ܘܕܢܫܗ:

in Jerusalem, and that he was performing healings in his name.

Addai began to speak to them as follows: "Hear [f. 12b] all of you and understand that which I speak to you. I am not a physician of medicines and roots belonging to the art of human beings. I am a disciple of Jesus the Messiah, the physician of troubled souls, the savior in regard to future life, the Son of God who came down from heaven, put on the body, became a human being, gave himself, and was crucified for all people. When he was hung upon the cross he made heaven dark in the firmament. When he entered the tomb he was raised and went forth from it with many. Those who kept watch over the tomb did not see in what manner he went forth from the grave. The watchers on high became heralds and proclaimers of the resurrection of the one who, if he had not wished, would not have died, because he is the lord of terminal death. If he had not so pleased he would not again have put on a body, since it is he who is the fashioner of the body. For the desire which brought him down to the birth of a virgin also humbled him to the suffering [f. 13a] of death. He abased the greatness of his exalted divinity, he who had been with his Father from the beginning, even from eternity, of whom the prophets of a former time spoke in their secrets and drew pictures of his birth, suffering,

ܘܕܢܘܚܡܗ ܘܕܣܘܠܩܗ ܕܠܘܬ ܐܒܘܗܝ̈. ܘܥܠ ܡܘܬܒܗ
ܕܡܢ ܝܡܝܢܐ. ܘܗܘܐ ܡܫܬܠܛ ܡܢ ܟܠܢܫ ܘܬܫ̈ܒܘܚܬܐ.
ܗ̇ܘ ܕܥܠܒܪܐ ܗܘ ܡܢ ܡܬܘܡ̈ܝܘܬܗ̇. ܐܦ ܠܒܪ
ܣܓܝܬܗ ܕܒܢ̈ܝܢܫܐ ܗܘܬ. ܐܠܐ ܚܝܠܗ ܘܡܕܒܪܬܗ
ܘܫܘܠܛܢܗ ܕܐܠܗܐ ܗܘ. ܐܝܟ ܕܗ̣ܘ ܐܡ̇ܪ ܠܢ.
ܕܗܘܐ ܡܟܝܠ ܐܫܬܒܚ ܒܪܗ ܕܐܢܫܐ. ܘܐܠܗܐ
ܕܒܗ ܡܫܬܒܚ ܠܗ. ܒܚܝ̈ܠܐ ܘܒܬܕܡܪ̈ܬܐ.
ܘܒܐܣܝܘܬܗ ܕܡܢ ܝܡܝܢܐ. ܦܓܪܗ ܕܝܢ ܐܪ̈ܓܘܢܐ ܗܘ
ܕܒܢܐ ܕܐܠܗܘܬܗ ܡܫܒܚܬܐ. ܕܒܗ ܗ̣ܘ ܐܫܬܒܚ
ܚܢ ܕܢܣܒ ܒܡܪܘܬܗ ܒܫܘܬܐ. ܠܗܢܐ ܗܟܝܠ ܫܡܥ
ܡܫܝܚܐ ܡܚܕܐܝܬ ܘܡܦܪܫ ܚܕ. ܘܡܟܡܐ ܠܐܒܘܗܝ
ܡܫܬܡܥ ܚܕ. ܘܠܪܘܚܐ ܕܐܠܗܘܬܗ ܡܪܕܪܝܢ ܚܕ
ܘܦܠܓܝܢ ܚܕ. ܡܛܠ ܕܗܟܢܐ ܐܬܦܢܝ̣ ܡܪܗ.
ܕܠܒܒܗ ܘܢܦܫܐ ܠܐܝܠܝܢ ܕܡܗܝܡܢܝܢ. ܒܫܡ (f. 13 b)
ܐܒܐ ܘܒܪܐ ܘܪܘܚܐ ܕܩܘܕܫܐ. ܐܦ ܢܒܝܐ ܕܡܢ
ܩܕܡܝܢ ܗܟܢܐ ܐܡܪܝܢ ܗܘܘ. ܕܡܪܝܐ ܐܠܗܢ ܫܕܪ
ܠܝ ܘܪܘܚܗ. ܘܐܢ ܐܡܪ ܐܢܐ ܡܪܝܐ ܕܠܐ ܫܢܝܬ
ܒܟܝ̈ܢܝ. ܠܐ ܢܦܠܘܢ ܫܘܪܝܐ ܕܡܢܝܢ ܒܫܘܬܦܘܢ
ܘܡܡܫܚܝܢ ܠܗ. ܘܐܢ ܬܘܒ ܡܬܒܪܝܢ ܐܢܐ ܥܡܗ
ܕܡܫܝܚܐ: ܥܠ ܐܝܠܝܢ ܕܐܝܬ ܠܗܘܢ ܒܫ̈ܪܒܐ
ܘܒܗܪ̈ܗܝܐ ܘܠܐ ܡܬܬܠܡܝܢ ܒܗܢܐ ܥܡܐ ܡܫܝܚܝܐ.
ܠܐ ܢܣܬܟܠܘܢ ܦܬ̈ܓܡܘܗܝ ܠܟܬܒܐ ܐܬܪ̈ܘܬܗܘܢ. ܐܢ
ܗܟܝܠ ܒܬܪ̈ܝܢ ܥ̈ܠܝܢ: ܐܝܠܝܢ ܕܐܡܪܝܢ ܐܝܟ ܒܦܓ̈ܪܐ
ܘܒܢ̈ܟܝܐ: ܘܡܫܡ̈ܫܝܢ ܘܡܚܫ̈ܒܝܢ ܚܝ̈ܠܐ ܕܫܘܠܛܢܗܘܢ
ܒܬܪ̈ܝܗܝ. ܠܐ ܐܢܫ ܢܣܒ ܒܡ ܕܠܐ ܦܘܪܫܢܐ

resurrection, ascension to his Father, and his sitting at the right hand.

"Behold he is worshiped by heavenly and mortal beings, he who was worshiped from everlasting. For although his appearance was human, his power, intellect, and authority was divine as he himself said to us: 'Behold, from henceforth the Son of Man is glorified and God who is in him glorifies him with powers, wonders, and his own magnificence which is at the right hand.' His body is the clean royal garment of his glorious divinity by which we are able to see his hidden lordship. Therefore, we herald and proclaim this Jesus the Messiah, we glorify his Father with him, and we extol and worship the Spirit of his divinity, because thus we were commanded by him to baptize and purge those who believe in the name of [f. 13b] the Father and the Son and the Holy Spirit.

"The prophets of old thus spoke that the Lord our God would send us and his Spirit.[19] If I speak that which is not written in the Prophets, the Jews who are among you and who hear me will not receive it. Again, if I make mention of the name of the Messiah over those who have afflictions and diseases and they are not made whole by this glorious name, they, being worshipers of things made with hands, do not believe. If, on the other hand, those things which we speak are written in the books and in the Prophets and we are able to demonstrate their healing powers on the sick, no one will behold us without discerning

ܕܗܝܡܢܘܬܐ ܕܡܚܘܝܢ ܣܢ. ܕܐܠܗܐ ܐܘܕܥ ܣܠܩ
ܒܥܠܡܗܘܢ ܩ̈ܕܝܫ ܐܢܫܐ. ܘܐܦ ܐܢܫ ܐܝܬ ܐܝܠܝܢ ܕܠܐ
ܢܟܣ ܕܐܬܦܫܘܢ ܠܬܟܠܝܬ ܗܠܝܢ. ܢܦܪܕܘܢ ܢܐܕܝܢ.
ܘܢܚܠܦܘܢ ܠܗ ܦܬܘ ܙܒܢܗܘܢ ܕܐܒܝܕܘܬܗ ܕܡܘܪܕܝܢܐ
ܕܬܪܒܝܬܗܘܢ.[a] ܢܦܪܕ ܗܟܢܐ ܡܐܡܘܢܐ. ܠܫܘܠܛܢܐ
ܕܡܫܝܚܘܬܗܘܢ. ܐܦ[b] ܒܪ ܠܐ ܡܢܝܢ ܗܘܘܬܗܘܢ
ܒܒܢܝܐ ܕܝܫܘ ܕܡܫܝܚܐ. ܐܠܐ ܒܡܫܝܚܐ ܕܝܫܘܥ
ܗܘܐ ܘܫܪܝܬܘܢ. ܐܠܗܦ[c] ܘܐܬܒܢܝܘ (f. 14 a)
ܥܠ ܫܘܒܚܐ ܪܒܐ ܕܗܘܐ ܗܘܐ ܒܗܘ ܒܢܝܢܐ
ܕܥܡܘܕܗ: ܘܗܘ ܕܦܪܝܫܬ[d] ܡܒܪܬܗ ܒܒܠܘܗ̇ ܐܪܒܥ.
ܒܐܪ̈ܒܥܬܐ ܕܒܢܝܢ ܬܠܡܝܕܘܗܝ، ܣܓܝ̈ܐܝܢ ܒܒܠܘܗ̇ ܐܪܒܥ.
ܘܐܝܠܝܢ ܕܒܢ̈ܝܢܐ ܗܘܘ: ܘܠܥܢܝܐ ܗܘ ܒܢܝܢܐ[e] ܕܒܢܝܢ
ܗܘܘ ܒܗ ܢܒܝܝܢ ܗܘܘ ܒܠܫܘܢ. ܗܐ ܡܗܡܢܝܢ
ܡܫܠܠܝܢ ܒܟܠ ܠܫ̈ܢܝܢ. ܕܢܡܠܟܘܢ ܬ̈ܫܥܐ ܘܢܗܡܢܘܢ
ܐܝܟ ܡ̈ܠܟܐ. ܕܗܘ ܕܒܠܒܠ[f] ܠܫ̈ܢܐ ܕܡ̈ܫܢܐ ܒܒܢܝܬܐ
ܗܕܐ ܕܡܕܒܪ. ܗܘܝܘ ܦܠܓ ܒܐ̈ܢܫܝܢ[g] ܡܡܠܠܐ.
ܗܝܡܢܘܬܐ ܕܢܒܝܘܬܐ ܘܕܫܠ̈ܝܚܐ. ܒܒܢ̈ܝܐ ܘܒܢ̈ܝܬܐ
ܕܡܢ ܥܠܠܐ ܕܦܠܚܢܝܐ. ܐܦ ܐܢܐ ܒܪ ܕܫܢܝܢ
ܐܝܬܝܘܢ ܠܟ. ܡܢ ܦܘܠܘܣ ܐܢܬ. ܡܢ ܐܬܪ ܕܢܦܩ
ܡܢܕܝܢ ܢܗܪܐ. ܘܐܬܚܦܝܬ ܡܢ ܣܒܪ̈ܝ ܕܐܘܗܕܐ

[a] C. omits ܕ. [b] C. ܐܦ. [c] C. ܠܗܘܢ.
[d] C. adds ܗܘܬ. [e] C. ܕܒܒܢ̈ܝܐ. [f] C. ܒܠܒܠ ܕܗܘܢ.
[g] C. ܒܐܝܕܝܢ.

the faith[20] which we preach, that God was crucified for all people. If there are those who are not willing to obey these words, let them draw near to us and reveal to us what their opinion is, that as to an illness of their mind we might apply a therapeutic remedy for the healing of their disease. For although you were not present at the time of the suffering of the Messiah, nevertheless by the sun which became dark which you saw, learn and understand [f. 14a] concerning the great and stupendous event which took place at the time of the crucifixion of him whose gospel has spread throughout the whole earth by the signs which our fellow disciples do in all the earth.

"Those who were Hebrews and knew only the Hebrew language with which they were born, today speak in all languages in order that those who are far off, like those who are near, might hear and believe that he is the one who confounded the languages of insolent ones who were in this district before us. He is the one who, through us, imperfect and wretched men that we are from Galilee of Palestine, teaches today the true and steadfast faith. For I whom you see also am from Paneas, from the place where the Jordan River flows forth. I was chosen with my companions to be

ܒܪܘܐ ܠܡܕܒܪܢܘܬܐ ܗܕܐ. ܕܒܗ̇ ܗܘ ܗܘܐ ܕܒܥܡ
ܦܢ̈ܝܬܐ ܕܟܘܠ ܐܬܪ̈ ܒܥܡܕܗ ܡܥܡܕܢܘܬܐ ܕܡܥܡܕܢܘܬܐ
ܘܚܕܐ. ܠܐ ܗܘܝܠ ܐܝܟ ܡܢܗܘܢ ܢܦܫܐ ܐܚܝܢܗ
ܡܢ ܡܘܫܬܐ. ܘܢܦܫ ܬܪܚܝܬܗ ܡܢ ܥܙܪܐ. ܠܐ
ܬܬܒܥܘܢ ܒܬܪ ܫܘܒܚܐ ܕܦܘܚܝܢ ܡܘܒܕܢܘܬܐ.
ܕܓܠܝܢ ܦܘܡ ܘܒܢܐ ܕܡܘܬܐ ܡܒܪܐ. ܘܠܐ ܬܬܕܚܠܘܢ
ܒܥܒܕܐ ܒܝ̈ܫܐ ܕܫܘܦܬܐ ܕܐܒܕܢ̈ܘܬܗܘܢ. (f. 14 *b*)
ܘܬܬܪܚܩܘܢ ܠܗܘܢ ܡܢ ܫܒ̈ܝܠܐ ܕܛܘܥܝܬܐ ܘܕܪ̈ܫܐ
ܕܡܥܡܕܢܐ. ܡܛܠ ܕܐܝܠܝܢ ܕܡܗܝܡܢܝܢ ܒܗ̇. ܗܘܝܢ
ܡܬܗܝܡܢܝܢ ܡܕܡܗܘܢ. ܗ̇ܘ ܕܢܣܒܬ ܠܗܘܢ ܒܫܢܝܢ.
ܕܢܬܚܠܠ ܡܢ ܐܘܪܚܐ ܕܒܫܝܐ ܕܫܘܦܬܐ. ܘܠܘܩܒܠܐ
ܕܦܘܪܥܢܘܬܐ. ܕܬܘܒ ܠܐ ܢܬܩܛܠܘܢ ܒܬܪܐ. ܐܠܐ
ܠܗ ܘܠܐܒܘܗܝ ܥܡ ܪܘܚܐ ܕܩܘܕܫܐ ܢܣܓܘܕ.
ܐܢܐ ܒܪ ܐܝܟ ܕܦܩܕ ܠܢ ܡܪܢ. ܗܐ ܡܫܕܪ ܐܢܐ
ܘܡܫܕܪ ܐܢܐ. ܘܡܫܡܫ ܟܠ ܦܘܪܩܢ ܗܘܐ ܪܒܐ
ܐܢܐ ܡܕܡܟܢ ܘܪܚܡܐ ܕܚܠܬܗ ܘܪܒ ܐܢܐ ܒܡ̈ܕܝܢ
ܕܚܠܝܢ. ܘܐܝܠܝܢ ܕܪܚܝܢ ܕܢܦܠܘܢ. ܕܠܗܘܢ ܗܘ
ܦܘܪܩܢܐ ܠܟܠܐ ܕܬܘܕܝܬܐ. ܘܐܝܠܝܢ ܕܠܐ ܡܬܟܠܣܝܢ.
ܫܠܐ ܕܬܟܠ ܢܦܫܝ ܐܢܐ ܒܠܗܘܢ ܐܝܟ ܕܐܡܪ ܠܢ
ܡܪܢ.[a] ܬܘܒܘ ܗܟܝܠ ܣܓܝܐܐ ܡܢ ܐܘܪܚܬܐ ܒܫܢ̈ܬܐ.
ܘܡܢ ܚ̈ܘܒܐ ܗܢܝܐ. ܘܐܬܦܢܝ ܠܘܬܗ ܒܪܚܡܐ ܠܟܠܐ
ܘܡܫܢܝ. ܐܝܟ ܕܐܬܦܢܝ ܗܘ ܠܘܬܗܘܢ ܒܫܢܝܗ
ܘܒ̈ܣܝܡܘܬܗ[b] ܒܫܪܪܐ. ܘܠܐ ܬܗܘܘܢ ܐܝܟ ܕܪ̈ܐ

[a] C. omits ܡܪܢ.   [b] C. ܒܫܝܢܐ ܕܪ̈ܫܡܘܗܝ.

a herald[21] of this gospel, by which already districts in every place ring with the glorious name of the august Messiah. Let none of you, therefore, harden his mind against right or put his mind far from truth. Do not be captivated by the thoughts of pernicious error which are filled with the sentence of an expectation of bitter death.[22] Do not be caught [f. 14b] in the evil habits of the paganism of your fathers so that you keep yourselves far from the life of justice and truth which are in the Messiah. For those who believe in him are faithful to him who descended to us by his[23] grace that he might remove from the earth the sacrifices of paganism and the libations of idolatry, that created things should no longer be worshiped. But let us worship him and his Father with his Holy Spirit.[24]

"Now in regard to me, as my Lord commanded me, behold I preach and evangelize. I place his silver upon the altar before you and I sow the seed of his word in the ears of all people. As for those who are willing to receive it, theirs is the good reward of confession. But as for those who are not persuaded, I will shake off the dust of my feet against them as my Lord told me.[25] Repent, therefore, my beloved from evil ways and detestable deeds. Turn to him with a good and pleasing will as he turned to you with his grace and with his rich mercies. Do not be like generations

ܡܕ̈ܒܚܐ ܕܒܒܪܘ: ܕܡܛܠ ܕܦܫܝܛ ܗܘܐ ܗܘܐ ܐܘܪܟܗܘܢ
ܡܢ ܕܫܠܛܗ ܕܐܠܗܐ. ܡܟܠܐ ܗܘܐ ܡܟܣ ܒܢ̈ܝܐ
ܠܚܛܝܬܐ. ܕܗܒܝܢ ܢܬܪܘܢ ܗܘܘ. ܘܐܝܠܝܢ ܕܐܬ̈ܬܝܢ
ܒܬܪܗܘܢ: ܢܘܚܘܢ ܘܢܫܠܘܢ. ܟܠܗ ܒܢܝ ܕܐܬܪ̈ܐ
ܡܢܝ ܠܚܠܡܐ. ܕܢܠܡ ܘܢܫܘܒ. ܕܒܥܠܡܐ ܗܘ
ܕܒܪ̈ܝܬܐ[a] ܫܘܐ ܢܘܫܡܐ ܠܟܠܗܘܢ ܒܢ̈ܝ ܐܢܫܐ.
ܘܒܗܘ ܒܪܢܫ ܡܬܝܠܕܝܢ ܕܒܢ̈ܝܗܘܢ ܒܡܘܬ̈ܒܗܘܢ.
ܘܗܘܝܢ ܦܓܪ̈ܝܗܘܢ ܡܚܠܐ ܠܡܬܩ̈ܢܬܐ ܕܟܝܢܘܬܐ.
ܘܠܝܬ ܬܘܒ ܕܠܐ ܢܚܐ ܗܦܟܐ. ܡܛܠ ܕܟܠܢܫ
ܒܬܘ̈ܬܐ ܕܗܦܟܗ ܫܘܐ ܦܢܐ ܒܗܘ ܢܘܡܐ.
ܘܫܥܒܕܐ ܕܗܘܒܪ̈ܢܗܘܢ ܐܚܕ ܒܝܬ̈ܒܬܐ ܕܐܝ̈ܕܘܗܝ.
ܗܒܢܐ ܕܐܦ ܗܕ̈ܝܘܛܐ. ܫܘܝܢ ܡܕܝܢ ܦܪܝܐ ܚܕܬܐ
ܕܠܥܢܐ ܚܕܬܐ. ܘܠܝܬ ܕܐܡܪ ܠܫܒܪܗ ܕܡܢܘ ܠܢ
ܗܢܐ. ܡܛܠ ܕܚܕܐ ܡܠܟܘܬܐ. ܘܚܕ ܡܠܟܐ
ܡܫܠܛ ܥܠ ܟܠܗܘܢ ܒܢ̈ܝ ܐܢܫܐ. ܬܬܝܪ ܗܒܠ ܗܕܐ
ܡܪܝܫܬܐ ܡܕܡ ܒܝܬܝܗܘܢ: ܘܠܐ ܬܒܥܪ ܡܢ ܐܒܝܗܘܢ:
ܡܛܠ ܕܐܝܟ ܡܢ ܐܒܝܗܘܢ ܒܒܢܝ. ܡܢ ܒܘܬܝ ܠܐ
ܒܒܪܐ. ܘܒܢܘ ܬܫܒܚܐ ܡܢ ܐܠܗܝ. ܕܢܥܒܕ ܠܗܘܢ
ܒܟܘܪܐ ܗܢܝܐ ܕܫܟܝܢܘܬܗܘܢ. (f. 15 b) ܕܥܒܕܬܘܢ
ܠܗܘ ܕܒܪܝܗܘܢ ܥܠ ܟ̈ܢܫܐ ܕܐܪܥܐ: ܘܡܢܫܐ ܡܛܠܬܗ
ܘܡܕܝܢ ܥܡܥܡ ܒܠܝܗܘܢ. ܘܡܒܕܪܘܬܗܘܢ ܠܫܘܠܗܘܢ
ܠܒܢ̈ܝܗܘܢ. ܒܬܒܪܐ ܒܢܝ ܘܐܟܠܣܐ ܕܠܐܠ̈ܗܐ ܕܫܩܘܬܐ:
ܘܥܠ ܡܕܡ ܕܒܪܝܬܐ ܗܘ ܕܬܒܝܠܝܢ ܐܬܘܗܝ ܒܠܚܘܕܘܗܝ:

[a] C. ܕܒܪܝܬܐ.

of old that passed away because they hardened their mind against the fear of God. They received punishment publically that they might be disciplined, that those who come after them might tremble and fear. For the whole of that for which our Lord came into the world was that he might teach and show us that at the consummation of created things there will be a resurrection for all people. At that time their manner of life will be represented in their own persons and their bodies will become parchment skins for the books of justice. There will be no one there who cannot read, because in that day everyone will read the writings of his own book.[26] He will hold a reckoning of his deeds in the fingers of his hands. Moreover, the unlearned will know the new writing of the new language. No one will say to his companion: 'read this for me,' because teaching and instruction will rule over all people.

"Let this thought be depicted, therefore, before your eyes and let it not pass from your mind. Because if it should pass from your mind, it will not pass from justice. Seek the mercies of God that he might remit for you the hateful impiety of your paganism [f. 15b]. For you have forsaken him who created you upon the face of the earth and causes his rain to come down and his sun to shine forth upon you. Instead of him you worshiped his works. As for the idols and graven images of paganism and everything in creation which you trust

ܘܦܠܓܘܗ ܐܢܬܘܢ ܠܗܘܢ. ܐܠܐ ܐܢܬ ܗܘܐ ܒܗܘܢ
ܪ̈ܥܝܬܐ ܘܒܗܘܢ. ܣܠܩ ܕܐܢܬܘܢ ܦܠܓܘܗ ܐܢܬܘܢ
ܠܗܘܢ ܘܡܣܝܡܝܢ ܐܢܬܘܢ ܠܗܘܢ: ܠܗܘܢ ܗ̇ܘ ܕܐܡ
ܗܘܐ ܕܢܦܩܘܢ ܠܒܗܬܬܗܘܢ. ܕܠܐܬܘܢ ܘܐܬܬܥܝܪܘܢ
ܐܢܘܢ. ܘܫܪܪܬܘܢ ܡܓܠܬܘܢ ܐܢܘܢ ܒܢ̈ܝܢܐ ܕܠܐ
ܢܬܬܪܫܘܢ. ܐܠܐ ܒܪ ܕܝܫܘܥ ܗ̇ܘܘ، ܒܢ̈ܝܢܫܐ
ܒܐܡܝܪܬܗܘܢ ܕܐܝܬܝܗܘܢ. ܚܠܦܝܗܘܢ ܡܬܚܫܒ ܗ̇ܘܐ ܒܗ
ܩܕܡ ܠܒܗ. ܕܠܐ ܬܦܠܓܘܢ ܠܒܢ̈ܝܬܗܘܢ.
ܕܐܒܗܬܗܘܢ ܒܒܝܬܐ ܘܒܪܝܐ. ܡܛܠ ܕܠܐ ܕܢܣܬܦܩܘܢ
ܒܟ̈ܝܢܝ ܒܢ̈ܝܬܐ. ܐܠܐ ܕܢܣܬܦܩܘܢ ܠܒܪܘܣܝܢ.
ܘܢܩ̈ܦܣܝܢ ܠܗ̇ܘ ܕܒܥܝܐ ܐܒܝܢ. ܘܐܝܟ ܡܐ ܕܡܫܬܪܝܐ
ܠܒܗܘܬܗ ܗܪܟܐ ܠܡܬܒܢܝܢ. ܗܒܝܐ ܒܬܘܕܐ ܕܬܬܒܒ
ܒܢܘܬܗ ܠܒܘܡܪܐ ܬܒܚ. ܫܪܝܐ ܐܢܐ ܠܗ ܒܪ ܠܒܪܝܐ
ܗܢܝ. ܕܦܓܥ ܦܪܨܦ ܒܣܦܘܬܐ ܕܠܗܘܒܠ ܐܠܗܐ.
ܚܠܘ ܗܢܐ ܢܟܘ ܦܬܟܪܐ ܒܒܝܬܐ ܕܦܠܓܘܗ ܐܢܬܘܢ
ܠܗ: ܘܒܝܠ (f. 16 a) ܕܡܣܝܡܝܢ ܐܢܬܘܢ ܠܗ. ܗܐ ܒܪ
ܐܢܬ ܒܒܗܘܢ ܕܦܠܓܘܢ ܠܒܪܬ ܢܒܠ ܐܝܟ ܣ̈ܢܝܐ
ܥܫ̈ܒܒܗܘܢ. ܘܠܦܪܕܬܐ ܐܝܟ ܡܬܟ̈ܠܝܐ. ܘܠܒܥܪܐ
ܐܝܟ ܒܪ̈ܢܫܐ. ܘܠܡܥܝܐ ܘܠܦܘܪܫܢܐ ܐܝܟ ܥܪܒܐ
ܕܣ̈ܢܝܐ ܕܐܒܘܬܒܗܘܢ. ܠܐ ܬܫܬܒܩܘܢ ܒܠܝ̈ܩܐ
ܕܢܡܘ̈ܪܐ. ܘܒܒܘܒܒܬܐ ܕܝܚܝܐ. ܠܟܠ ܗ̇ܘ ܒܪ ܡܕܡ
ܐܠܗ̈ܐ. ܒܗܠ ܡ̣ܢ ܕܦܠܓ ܠܒܪ̈ܝܬܐ. ܐܦ ܒܪ ܐܢܬ
ܒܗܘܢ ܒܒ̈ܢܝܬܐ ܕܐܝܟ ܪ̈ܘܒܝܢ ܡܢ ܣܒ̈ܪܬܗܘܢ. ܐܠܐ
ܒܢ̈ܘܬܐ ܬ̈ܠܝܢ ܕܣܒ̈ܪܬܗܘܢ ܐܝܟ ܕܐܬܚ̈ܪܬ ܠܒܗܘܢ.
ܒܐܒܐ ܗܘ ܒܪ ܡܚܪܪܐ ܗܢܐ ܕܠܝܬ ܠܗ ܐܦܘܣܬܐ.

and worship, if there should be in them any perception and discernment, on account of which you might worship and honor them, it would be right for them to offer thanksgiving to you since you carved, erected, strengthened, and fastened them with nails so that they might not be shaken. So if created things were to perceive your honors toward them, they would cry out calling for you not to worship your companions, who like you were made and created, because created things which are made should not be worshiped. On the contrary, they should worship their creator and praise him who created them. As his grace shelters the insolent here, so his justice will be required of the unbelievers there.

"I see that this city is filled with paganism which is contrary to God. Who is this [man-] made idol Nebo which you worship, and Bel [f. 16a] which you honor? Behold there are those among you who worship Bath Nical, like the inhabitants of Haran your neighbors, and Taratha, like the inhabitants of Mabug, and the Eagle, like the Arabs, and the sun and the moon, like the rest of the inhabitants of Haran who are like you.

"Do not be led captive by dazzling lights or the brilliance of a star because everyone who worships created things is cursed before God. Even though among creatures there are those that are greater than their companions; nevertheless, as I told you, they are companions of their fellows. This is a bitter disease for which there is no cure,

ܕܢܦܓܥܘܢ ܒܫ̈ܐܕܐ ܠܫ̈ܐܕܐ. ܘܢܫܡܫܘܢ ܒܥܕ̈ܬܐ
ܠܫܐ̈ܕܝܗܘܢ. ܐܡܝܢܐ ܓܝܪ ܕܠܐ ܡܫܡܫܝܢ ܩܕܡ ܒܚܝܠ
ܢܦܫܗܘܢ: ܐܠܐ ܒܚܝܠܐ ܕܗܘ ܕܓܒܐ ܐܢܘܢ. ܗܟܢܐ
ܠܐ ܡܫܡܫܝܢ ܕܢܬܓܒܘܢ ܒܗܘܢ ܘܬܫܡܫ̈ܬܗܘܢ ܒܗܘܢ.
ܠܥܘܕܪܢܐ ܗܘ ܓܝܪ ܒܬܫܡ̈ܫܬܗܘܢ. ܒܥܕ̈ܬܐ ܕܝ
ܡܫܬܡ̈ܫܢ ܘܒܥܘܕܪܢܐ ܕܝ ܡܫܬܘܬܦ ܠܗ ܒܥ̈ܕܬܐ
ܕܢܫܡ̈ܫܝܢ ܠܚܝܠܐ ܕܐܠܗܘܬܗ. ܒܠܚܘܕ ܓܝܪ ܢܚܘܬܐ
ܕܢܝ̈ܚܐ: ܘܡܬܪܘܬܐ ܕܠܝܡ ܕܟܬܪ ܢܚܝܐ ܗܕܐ ܗܝ.
ܕܠܐ ܢܫܬܡ̈ܫܢ ܒܥܕ̈ܬܐ ܟܕ ܒܙܒܢܐ. ܘܠܐ ܬܘܒ
ܬܫܡܫܢ ܒܝܬܝܐ (f. 16 b) ܒܝܘܡܐ ܕܫܘܬܐ ܕܝܠܗ.
ܠܐ ܗܘܐ ܕܝܢ ܡܛܠ ܕܡܫܬܥܝܢ ܒܥ̈ܕܬܐ ܐܡܪ ܐܢܐ
ܕܠܐ ܢܫܬܡ̈ܫܢ. ܐܠܐ ܥܠ ܡܕܡ ܕܒܥܕܬܐ ܗܘ ܒܪܐ
ܗܘ. ܐܝܟ ܡܬܚܙܝܐ ܐܦ ܠܐ ܡܬܚܙܝܐ. ܙܘܥܐ ܗܘ
ܡܢܪܐ ܗܘܢܐ. ܕܢܫܡ ܠܗ ܥܒܕܐ ܡܫܡܫܢܐ ܕܐܠܗܘܬܐ.
ܠܐ ܗܘܐ ܓܝܪ ܠܥ̈ܕܬܐ ܐܟܘܬܗܘܢ ܡܥܕܪ ܚܝܠ
ܘܡܦܪܫ ܚܝܠ. ܐܠܐ ܠܚܙܝܐ ܕܥܕ̈ܬܐ. ܘܟܕ ܓܝܪ ܗܘ̣
ܕܐܢܫ ܐܢܫ ܒܦܘܩܢ. ܗܘ ܗܘ̣ܢ. ܕܟܠ ܡܕܡ ܕܒܥܕܬܐ
ܗܘ. ܒܚܝܠܐ ܗܘ ܕܒܥܘܬܗ ܬܠܐ ܘܩܐܡ. ܗܘ
ܕܐܝܬܘܗܝ ܗܘܢ ܡܢܡ ܒܠܥ̈ܕܬܐ ܘܒܥ̈ܕܬܐ. ܗܘ ܕܠܐ
ܡܬܕܪܟ ܒܝܢ. ܒܕܠܐ ܡܬܚܙܝܐ ܒܝܢ. ܘܒܗ ܐܟܘܬܗ
ܡܬܩܪܒ ܒܦܪܘܫܘܬܐ ܟܠܝܠܐ. ܡܛܠ ܕܒܪܐ ܗܘ
ܘܐܠܗܐ ܗܘ ܕܒܗ ܡܬܩܪܒ. ܗܕܐ ܗܝ ܡܠܦܢܘܬܐ ܒܟܠ
ܐܬܪ ܘܒܟܠ ܙܒܢ. ܘܗܟܢܐ ܐܬܦܩܕܬ ܕܐܒܪ ܠܐܠܗܝܢ
ܕܫܡܥܬܘܢ ܠܝ. ܠܐ ܗܘܐ ܡܢܝ ܐܡܪܬ. ܐܠܐ ܒܡܠܦܢܘܬܐ
ܕܩܘܫܬܐ ܘܒܚܝܠܐ ܕܐܠܗܐ. ܘܐܬܘ̈ܬܐ ܕܗܘܝܢ

that things which are constructed should worship things which are made and created things should glorify their companions. As they are unable to stand by their own power, but by the power of the one who created them, so they must not be worshiped with him or honored with him. It is blasphemy against both of them, against created things when they are worshiped and against the creator, when created things who are alien to the nature of his being are made partners with him. The whole of the teaching of the Prophets and of our own preaching subsequent to the Prophets, is this: created things should not be worshiped with the creator. Furthermore, human beings should not be bound [f. 16b] to the yoke of destructive paganism. It is not simply because created things are seen that I said that they should not be worshiped; on the contrary, everything which is made is a created thing whether seen or unseen. It is bitter impiety, that one should place on this the glorious name of divinity. We do not preach and worship created things like you, but rather the Lord of created things. For the earthquake which shook them at the cross bears witness that everything which is made depends on and exists by the power of the one who made it, that is, on him who was before worlds and creations, whose nature is incomprehensible being invisible, who is sanctified with his Father in high places above, since he is Lord and God from eternity.

"This is our teaching in every country and in every quarter. We were so commanded to preach to those who will hear us, not with force, but with the teaching of truth and with the power of God. The signs which occurred

ܒܥܡܡܶ̈ܐ. ܩ̇ܝܡܝܢ ܗ̈ܘܘ ܥܠ ܗܝܡܢܘܬܗܘܢ ܕܫܪܪܐ
ܘܡܗܝܡܢܐ. ܐܬܦܠܓܘ ܗܟܢܐ ܠܬ̈ܠܬ. ܘܦܠܓܐ
(f. 17 a) ܡܢܗܘܢ ܕܐܡܪܬ ܘܐܡܪ ܐܝܟ ܡܕܡܫܝܚܢ̈
ܘܕܠܐ ܐܬܒܕ ܡܬܒ̈ܪܝܢ. ܗܐ ܡܫܠܡܐ ܐܢܐ
ܡܕܡܢܗܘܢ ܗܘܪܬܐ. ܦܠܓܐ ܬ̈ܠܬ ܒܠܝܬܐ ܘܠܐ
ܬܗܡܝܢ. ܡܢܘܒܐ ܠܘܬ ܢ̈ܣܒܐ ܡܢ ܡܫܝܚܝܐ"
ܘܩܘܡ ܡܢ̈ܒܐ ܠܡܫܝܚܝܐ. ܘܠܐ ܕܫ̈ܐܐ ܘܠܘ̈ܩܐ
ܕܦܠܓܘܬܐ. ܦܪܒܘ ܠܗ ܡܫܒܠ ܕܫ̈ܐܐ ܕܬܘܕܝܬܐ.
ܡܢܐ ܗܝ ܕܡ ܚܠܬܐ ܪܒܬܐ ܕܫܒܩܐ ܠܗܘܢ ܡܫܒܬ
ܒܪܒܐ ܗܢܐ. ܘܕܐܢܝܢ ܘܐܬܝܢ ܚ̈ܣܝܢ ܒܠܫܢ ܠܬ̈ܘܒܐ.
ܘܡܕܒܚܝܢ ܒܗ ܠܥ̈ܒܕܐ. ܘܐܦ ܒܬ̈ܒܐ ܠܐ ܥܒܕܝܢ
ܐܢܘܢ: ܗܘ ܒܝܬܐ ܒܝܬܗ ܠܐ ܦܠܓ ܠܗܘܢ.
ܕܒ̈ܬܐ ܐܝܬ ܠܗܘܢ ܠܡܬܒ̈ܪܝܘ ܘܠܐ ܚܙܝܢ.
ܘܐܢܘܢ ܕܚܙܝܢ ܐܢܘܢ ܒܒ̈ܬܐ:[a] ܒܗܝ ܕܠܐ
ܡܬܒܣܝܢ ܐܢܘܢ. ܗܘܝܘ ܠܗܘܢ ܐܦ ܐܢܘܢ
ܐܒܘܬܗܘܢ. ܕܠܐ ܫܝܢ ܘܠܐ ܫܡܝܢ. ܘܐܝܟܐ ܗܘ
ܬܒܥܝܢ ܡܠܟܘܬܗܘܢ ܗܪܡܐ. ܠܥ̈ܕܬܐ ܒܪ̈ܫܝܬܐ. ܒܕ
ܡܢܘܢ ܠܐ ܒܕܠܝܢ ܒܗ[b] ܕܠܐ ܫܡܥܝܢ. ܡܛܠ ܕܒܢܝܐ
ܐܢܘܢ ܒܢܫܒ ܘܫܬܡܥܐ. ܒܕܠܐ ܕܝܢ ܕܦܠܓܢܘܬܐ ܒܗ
ܒܐܢܘܬܐ ܕܠܒܗܘܢ ܗܘ. ܕܠܐ ܢܦܩܝܢ ܐܢܘܢ
ܕܬܒܥܝܢ. ܐܦ ܠܐ ܒܗܢܐ ܡܕܡ ܕܫܝܢ (f. 17 b)
ܐܢܘܢ ܠܐ ܒܪ ܥܡܡܐ ܠܗܘܢ ܒܪܦܠܐ ܕܦܠܓܝܢ
ܕܦܠܓܘܬܐ ܥܠ ܪ̈ܒܝܢ. ܕܢܦܩܘܢ ܡܫܪܝܐ ܥܡ̈ܢܐ

[a] C. ܒܒ̈ܬܐ ܕܐܝܬ ܠܗܘܢ ܐܢܘܢ. [b] C. ܒܗܘܢ.

in his name bear witness concerning our faith that it is true and faithful. Consent, therefore, to my words and receive [f. 17a] that which I said and continue to say to you. So that I should not demand your death, behold I greatly caution you: receive my words as is right, without delay. Draw near to me, you who are distant from the Messiah, that you might be close to the Messiah. Instead of sacrifices and libations of error, from now on offer him sacrifices of thanksgiving.

"What is the great altar which was built for you in the midst of this city? You go and come that upon it you might pour out libations to evil spirits and make sacrifice to demons. Even if you are ignorant of Scripture, does not nature with its insights teach you that your idols have eyes that do not see? Because you[27] who see with eyes do not understand, you are become like those who lack sight and hearing. It is vain to exert your empty voices on deaf ears. They are innocent in not hearing, because by nature they are deaf and dumb. The blame which is justly implied, therefore, is yours since you are not willing to understand even that which you see [f. 17b]. As for you the thick darkness of error which covers your eyes does not permit you to obtain the heavenly light

ܕܐܝܬܘܗܝ، ܒܗܢܐ ܕܝܕܥܬܐ. ܒܪܘܡܐ ܡܚܝܠ ܡܢ ܒܪ̈ܝܬܐ
ܘܒܪܝܐ. ܐܝܟ ܕܐܬܚܙܝܬ ܠܟܘܢ. ܕܒܡܫܟܢܐ ܗܘ ܒܠܚܘܕ
ܡܬܩܪܝܢ ܐܠܗ̈ܐ. ܒܪ ܠܗ ܐܠܗ̈ܐ ܐܝܢܘܢ ܒܟܝܢܗܘܢ
ܘܐܬܦܪܥܘ ܠܘܬ ܗܘ ܕܒܟܝܢܗ ܐܠܗܘܬܗ، ܐܠܗ̈ܐ.[a] ܡܢ
ܡܬܘܡ ܘܡܢ ܟܠܡ. ܘܠܐ ܗܘܐ ܒܪܝܐ ܗܘ ܐܝܟ
ܦܬܟܪ̈ܝܗܘܢ. ܘܐܦ ܠܐ ܒܪܝܬܐ ܘܬܘܕܝܬܐ ܐܝܟ
ܓܠܦ̈ܐ ܕܡܫܬܡܗܝܢ ܐܝܬܝܗܘܢ ܒܗܘܢ. ܡܛܠ ܕܐܦ
ܠܓܒ ܦܓܪܐ ܗܘܝ. ܐܠܗܐ ܐܝܬܘܗܝ، ܗܘܐ ܒܗ
ܐܒܘܗܝ، ܒܪ̈ܝܬܐ ܒܪ ܕܐܬܬܬܝܒ[b] ܗ̇ܘ، ܒܦܠܓܗ:
ܘܐܬܬܪܗܒ ܗ̇ܘ، ܒܚܫܐ ܕܒܡܘܬܗ. ܦܝܣ ܗܘ̈ܕܝܢ
ܕܗܘܝܘ ܕܓܒܪܐ ܒܪ̈ܝܬܐ.[c] ܠܐ ܗܘܐ ܒܪ ܚܠܦ ܒܪ
ܐܢܫܐ ܝܬܒ ܐܪܒܥܐ. ܐܠܐ̇ ܚܠܦ ܗ̇ܘ ܕܢܦܩ ܗܘܐ
ܐܪܒܥܐ ܚܠ ܚܛ̈ܝܐ. ܘܠܐ ܗܘ̣ܐ ܚܠܦ ܒܪ ܐܢܫܐ
ܒܫܡ ܗܘܐ ܡܫܒܚܐ ܒܝܠܕܗ.[d] ܐܠܐ̇ ܚܠܦ ܗ̇ܘ
ܕܓܒܒ ܢܡܘܣܐ ܙܘܪܒܐ. ܘܠܐ ܗܘܐ ܒܒܢܝܢܐ
ܐܬܢܣܒ ܗܘܐ ܒܓܢܐ ܘܕܝܢܐ. ܐܠܐ ܒܗ̇ܘ ܕܢܦܩ
(f. 18 *a*) ܗܘܐ ܫܘܠܛܢܐ ܕܒܗܘܬܐ ܡܢ ܙܒܢܬܐ.
ܘܠܐ ܗܘܐ ܒܪ ܐܢܫܐ ܐܓܪ̈ܝ، ܗܘܐ ܢ̈ܦܫ ܐܘܪܚܐ
ܕܗܠܟܐ ܕܫܘ̈ܕܝܐ ܡܢ ܪܫ ܠܪܫ. ܐܠܐ̇ ܒܗ̇ܘ
ܕܐܬܦܪ ܗܘܐ ܠܗܘܢ ܕܗܘܐ ܥܡܝܩ ܒܬܘܒܗܘܢ ܚܪܒܐ.
ܗܘ ܒܪ ܐܠܘ ܠܐ ܕܢܒܗ ܗ̇ܘܢ ܕܘܟܘܢ، ܕܒܪܗ
ܗ̣ܘ ܕܐܠܗܐ. ܠܐ ܗܘܐ[e] ܚܘܪܒܐ ܕܡܬܢܒܗܘܢ

[a] C. ܠܘܬ ܗܢܐ ܕܒܟܝܢܗ ܐܠܗܐ ܐܠܗܘܬܗ، ܗܘܐ.

[b] C. ܕܐܬܬܝܒ.

[c] C. ܕܗܘܝܘ ܐܠܗܐ ܒܪܘܚܐ.

[d] C. rightly ܒܫܘܒܚܐ.

[e] C. accidentally omits ܗܘܐ.

which is the understanding of knowledge. As I said to you, therefore, shun things that are made and created, which are called gods in name only, but are not gods by their nature. Draw near to the one who by his very nature is God from everlasting to everlasting, who, unlike your idols, is unmade. He was neither created nor formed, like the images in which you glory, because, though having put on this body, he is God with his Father. For created things which were shaken when he was slain and were alarmed at the suffering of his death, bear witness that he is the one who created the works of creation. It was not because of a human being that the earth quaked, but because of him who established the earth upon the water. Neither was it because of a human being that the sun darkened at the cross, but because of him who made the great luminaries. Nor was it by a human being that the just and righteous were raised to life, but by him who gave [f. 18a] power over death from the beginning. It was not by a human being that the curtain of the temple of the Jews was torn asunder from end to end, but by him who said to them: 'Behold, your house is left desolate.'[28] For behold unless those who crucified him had known that he was the Son of God they would not have proclaimed the desolation of their city

ܡܒܕܪܝܢ ܗܘܘ. ܐܦ ܠܐ ܗܘܐ ܒܠ[a] ܢܦܫܗܘܢ
ܘܬܢܐ ܡܬܠܦܝܢ ܗܘܘ. ܐܦ ܠܐ ܟܢ ܐܠܘ ܙܒܢ ܗܘܘ
ܕܢܬܡܗܘܢ ܡܢ ܗܕܐ ܬܘܕܝܬܐ. ܫܡܥܝܢ[b] ܗܘܘ ܠܗܘܢ
ܒܘܬܚܐ ܕܢܬܠܐ ܗܘܘ ܒܗܘ ܕܒܪܢܐ. ܗܐ ܟܢ ܐܦ
ܡܢ ܒܢܝ̈ܫܗܘܢ ܕܢܦܩܘܢ. ܒܒܝܬܝܢ ܡܘܬܒܐ ܒܬ̈ܘܪܐ
ܘܡܫܒܚܢ̈ܬܐ. ܒܗ ܥܠܝܬܐ ܣܒ̈ܪܝ. ܒܒܠܥܗ ܐܪܒܐ
ܕܦܠܓܘܬܐ. ܘܒܝܬ ܫܒܪ̈ܐ ܘܒܒܠܥ ܐܬܪܐ ܕܦܠ̈ܓܘܬܐ.
ܘܫܠܡ ܦܬܓܡܐ ܕܥܒܘܕܝܬܐ ܘܡܬܥܫܢ ܘܥܫܢ ܕܡܫܝܚܐ.
ܘܡܒܕܪܝܢ ܒܡ̈ܠܟܐ ܘܒܬܪ̈ܝܬܐ ܒܐܠܗܐ ܕܗܘܐ ܒܪ
ܐܢܫܐ. ܐܢ ܒܒܬ ܒܕ ܒܐܪܒܐ ܐܬܘܗܝ ܗܘܐ
ܢܣܒ ܡ̈ܪܝ: ܗܡܝܢܘܬܗ ܗܘܝܘܬܗ ܒܗ ܕܒܪܗ
ܗܘ ܕܐܠܗܐ: ܘܦܪܩ ܕܬܫܡܫܬܗ (f. 18 *b*) ܗܘܝܘܬܗ
ܡܠܬܐ ܕܒܪܘܝܘܬܗ: ܐܘܕܝܬܗ ܒܗ ܕܐܠܗܐ ܗܘ:
ܗܢܐ ܕܫܠܡ ܠܘܬ ܐܒܘܗܝ: ܘܝܠܝܬܗ ܐܬܬܐܬܐ
ܘܬܫܡܫܬܐ ܕܩܘܡ ܒܫܡܗ: ܘܡܠܬܐ ܕܥܒܪܬܗ
ܫܡܠܝܬܗ ܒܐܪ̈ܝܢܗ. ܠܐ ܐܢܫ ܡܒܥܐ ܢܬܦܠܓ
ܒܪ̈ܢܝܢܗ. ܐܝܟ ܕܢܬܦܣܩ ܠܡܬܒܥܐ ܫܘܕܢܐ
ܕܒܪܬܗ ܕܫܠܝܢ ܠܒܢ. ܕܬܦܢܝܬܗ ܕܗܡܝܢܘܬܗ
ܒܢ ܒܕ ܠܐ ܣܝܬܘܢ. ܘܬܦܠ ܕܗܒܢܐ ܗܡܝܢܘܬܗ
ܒܝ. ܒܪܒܐ ܕܒܡܕܝܢ ܐܝܬܘܗ ܒܗ ܢܗܘܐ ܒܪܝ.
ܘܒܠܕܒܒܐ ܠܐ ܢܬܠܦܠ ܒܗ ܠܒܠܡ. ܠܐ ܗܒܠ
ܬܦܠܬܘܢ ܡܢ ܗܡܝܢܘܬܗ. ܕܗܐ ܫܡܥܬܘܢ ܘܝܠܝܬܘܢ
ܐܠܝܢ ܕܗܘ̈ܝ ܠܗܡܝܢܘܬܗ. ܕܒܪܐ ܗܘ ܦܠܓܝܐ.

[a] C. wrongly ܐܒܠ.   [b] C. ܫܡܥܘ.

nor would they have laid sorrow upon themselves. Even if they had wished to turn away from acknowledging this, the frightful horrors which happened at that time would not have permitted them. For behold some of the sons of those who performed the crucifixion have today become preachers and evangelists with the Apostles, my companions, throughout the land of Palestine, among the Samaritans, and in all the land of the Philistines. The idols of paganism are despised, the cross of the Messiah is honored, and peoples and creatures are confessing God who became man. If indeed when Jesus our Lord was on the earth you believed in him, that he is the Son of God, and before you heard [f. 18b] the word of his preaching you confessed him to be God, now that he has ascended to his Father and you have seen the signs and wonders which take place by his name and you hear the word of his gospel with your ears, let not one of you have doubts in his mind. This is that the declaration of his blessing which he sent to you might be confirmed to you, namely: 'Blessed are you who have believed in me without seeing me.[29] Because you have thus believed in me, may the city in which you dwell be blessed and may the enemy never prevail over it.'

"Do not depart, therefore, from his faith. For behold you have heard and seen the things which bear witness to his faith that he is the adorable Son

ܘܐܠܗܐ ܗܘ ܡܫܝܚܐ. ܘܡܠܟܐ ܗܘ ܕܒܢܝܐ. ܘܣܠܩ
ܗܘ ܬܘܩܦܐ. ܘܒܫܘܒܚܗܘܬܗ ܗܘ ܫܪܝܪܬܐ[a] ܡܫܡܫ
ܐܢܫ ܦܢܐ. ܚܢܢܐ ܕܪܚܡܢܐ ܫܪܝܪܐ. ܘܡܬܬܚܝܡ ܕܟܘܠ
ܡܢ ܕܗܘܐ ܠܒܪܝܬܐ. ܘܬܒܥܐ ܗܘ ܕܒܐܝܕܘܬܐ ܡܕܪܟ
ܠܗ. ܟܠ ܡܕܡ ܒܪ ܕܐܡܪܝܢ ܚܢܢ ܡܕܡܟܢ. ܐܝܟ
ܕܦܩܠܢ ܚܢܢ ܡܢ ܡܫܘܡܠܝܘܬܗ ܕܡܪܢ ܐܡܪܝܢ ܚܢܢ.
ܘܡܠܦܝܢ ܚܢܢ ܘܡܚܘܝܢ ܚܢܢ ܕܬܘܒܘܢ ܚ̈ܝܘܗܝ. ܘܠܐ
ܬܘܩܕܘܢ (f. 19 *a*) ܪ̈ܘܫܬܗܘܢ ܒܠܒܝܢ ܕܚܝܘܬܐ.
ܡܛܠ ܕܕܝܢ ܠܗ ܢܘܗܪܐ ܥܬܝܕܐ ܒܪܝܬܐ. ܘܗܘܝܘ
ܕܚܒܝܒܐ ܗܘܐ ܠܐܒܗ̈ܬܐ ܩܕ̈ܝܫܐ. ܘܠܢܒ̈ܝܐ
ܘܠܫ̈ܠܝܚܐ. ܘܡܛܠ ܗܘܐ ܒܣܘܦܗܘܢ ܕܥܠܡܐ ܕܪܘܚܐ
ܕܡܕܒܪܢܐ. ܗܘܝܘ ܒܪ ܐܠܗܐ ܕܡܫ̈ܘܕܥܢܐ ܕܐܘܩܝܡܗ.
ܘܫܘܦܐ ܠܚ̈ܢܝܢ ܠܗ ܗܘ ܡܬܚܢܢ ܐܦ ܟܕ ܠܐ ܢܚܡ.
ܡܛܠ ܕܠܝܬ ܐܠܗܐ ܐܚܪܢܐ ܒܫܡܝܐ ܘܒܐܪܥܐ.
ܘܗܐ ܦܠܛܐ ܠܗ ܬܘܕܝܬܐ. ܡܢ ܐܪ̈ܒܥ ܦܢܝ̈ܬܗ
ܕܐܪܥܐ.[b] ܗܐ ܗܝܟܠ ܥܒܕ ܬ݂ܕܝܚܘܢ ܡܕܡ ܕܠܐ
ܥܒܝܕ ܗܘܐ ܠܗܘܢ. ܘܗܘܐ ܬܘܒ ܫ̈ܢܝ ܒܝܬܝܗܘܢ
ܡܕܡ. ܕܠܐ ܡܢ ܡܬܘܡ ܝܚܝܐ ܗܘܐ ܠܗܘܢ. ܠܐ
ܗܝܟܠ ܬܗܘܘܢ ܡܠ̈ܠܟܐ ܠܡܕܡ ܕܡܫܡܠܝܘܬܗܘܢ
ܘܣܝܒܪܘܬܗܘܢ. ܐܚܒܪܘ ܡܠܟܗܘܢ ܪܚܝܩܐ ܡܪܘܕܐ
ܕܬ̈ܫܡܫܘܢ: ܘܣܪܪܘ ܢܦܫ̈ܬܗܘܢ[c] ܡܢ ܚܙܝܐ ܕܒܛܠܢܬܐ
ܕܡܫܠܡܢܐ ܟܠܗܘܢ. ܒܢܘܫܐ ܘܒܪܒ̈ܢܐ ܕܡܕܡ
ܟܠܦܐ. ܢܬܟܠܠ[d] ܠܗܘܢ ܟܠ ܫ̈ܢܝܗܘܢ ܐܡ̈ܝܢܐ. ܘܟܠ

[a] C. omits ܫܪܝܪܬܐ.
[b] C. ܕܒܪܝܬܐ.
[c] C. ܢܦܫܗܘܢ.
[d] C. ܘܢܬܟܠܠ.

and glorious God. He is the victorious king, and the valiant power. By his true faith man is able to possess the eye of a true mind and to understand that the wrath of justice will overtake everyone who worships created things.

"Everything which we say to you, we speak, teach, and show, as we received from the favor of our Lord, that you might obtain your salvation and not destroy [f. 19a] your spirits by the deceitfulness of paganism, because the heavenly light has risen over creation. It is he who chose the patriarchs of former times, the upright, and the Prophets and spoke with them through the revelation of the Holy Spirit. For he is the God of the Jews who crucified him. The erring heathen worship him also though they do not know it because there is no other God in heaven and on earth, and behold confession goes up to him from the four quarters of the earth. Behold, therefore, your ears have heard that which had not been heard by you. Again, your eyes have seen that which had never been seen by you. Do not be wrongdoers, therefore, toward that which you have heard and seen. Put away from yourselves the rebellious mind of your fathers; free yourselves from the yoke of sin which reigns over you by means of libations and sacrifices before graven images. Be concerned about your perishing lives and

ܡܪܝܡ ܪܥܝܘܗܝ ܒܛܠܠܐ. ܘܡܢܘ ܪܥܝܐ ܚܕܬܐ. ܗܘ
ܕܫܒܩ ܠܥܒܘܕܐ ܘܠܐ ܐܘܪܚܐ. ܗܘ ܕܝܪܢ ܒܗ
ܝܠܕܐ ܕܡܫܒܚܬܐ ܘܕܝܩܪܐ. ܕܐܒܐ ܘܕܒܪܐ ܘܕܪܘܚܐ
ܕܩܘܕܫܐ. ܒܗ ܡܬܚܣܝܢ ܘܡܬܒܪܟܝܢ. (f. 19 b)
ܒܫܡܝܐ ܬܠܝܬܝܘܬܐ ܘܡܫܒܚܬܐ. ܗܕܐ ܗܝ ܕܝܢ
ܡܠܟܘܬܗ ܘܫܘܠܛܢܗ. ܠܐ ܗܘܐ ܒܪ ܒܨܝܪܘܬܐ
ܡܬܗܡܝܢ ܫܪܪܗ ܕܡܫܝܚܐ. ܘܐܠܗܝܢ ܕܝܬܝܢ
ܕܢܬܦܢܘܢ ܠܡܫܝܚܐ ܢܕܥܘܢ ܐܢܘܢ. ܕܐܒܗܬܐ
ܕܥܝܢܐܬܐ ܬܠܝܬ ܩܠܐ ܡܕܡܝܘܢ. ܕܬܐܠܦܘܢ
ܘܬܬܒܝܘܢ ܒܡܕܡ ܕܡܫܒܚܝܢ ܐܢܘܢ. ܘܚܝ ܚܕܐ
ܒܗܕܐ. ܐܝܟ ܐܒܪܐ[a] ܒܚܝܠܗ ܒܪܒܘܬܐ. ܘܐܠܗܘܢ[b]
ܢܬܒܢܘܢ ܒܬܒܘܬܗܘܢ ܕܠܘܬܗ. ܘܒܗ ܐܢܘܢ ܫܒܝܚ
ܐܢܘܢ ܒܗܕܐ. ܐܦ ܚܝ ܕܡܠܟܝܢ ܚܝ ܠܗܘܢ ܗܕܐ.
ܠܐ ܡܬܦܠܓܝܢ ܐܒܪܐ ܒܪܒܐ ܕܗܕܐ. ܘܡܦܠܓ
ܕܬܒܠܠ ܐܢܐ: ܕܗܘܝܢ ܐܢܘܢ[c] ܐܒܪܐ ܒܪܒܘܬܐ:
ܐܝܟ ܝܚܝܕܐ ܕܡܒܪܟܐ ܡܫܝܚܐ: ܡܦܠܓ ܗܢܐ ܚܠܦ
ܚܠܦ ܕܬ̈ܒܠܠ[d] ܕܐܬܐܡܪ ܠܝ: ܕܢܦܩ ܒܠ ܒܪܒܐ ܕܠܐ
ܡܦܒܠ ܬ̈ܠܒܝܢ. ܗܐ ܢܦܩܬ ܡܕܡܝܐ ܒܠ ܬܪܒܐ
ܕܬ̈ܕܒܚܘܢ ܦܬܓܡܐ[e] ܕܡܦܩ̈ܬܝ. ܕܒܡܘܢ ܝܒܪܐ[f]
ܡܬܬܗ ܕܡܫܝܚܐ. ܕܗܘܦܬ ܐܦ ܕܒܬܪܐ ܕܬܗܘܐ.
ܘܡܩܒܬܐ ܘܡܘܡܒ݂ ܕܠܗܘܢ ܒܢ̈ܝܫܐ. ܘܦܘܪܫܢܐ
ܕܗܘܐ ܒܝܬ ܡ̈ܗܝܡܢܐ ܠܡܦܘܪܐ.[g] ܘܡܠܟܘܬܐ ܒܪܒܐ

[a] C. adds ܕܗܘܐ. [b] C. ܘܐܠܗܐ. [c] C. ܕܗܘܝܬܘܢ.
[d] C. ܕܬ̈ܒܠܝܢ. [e] MS. ܦܬܓܡܐ. [f] C. ܝܒܪܝܢ.
[g] C. adds ܘܡܗܝܡܢ ܒܪܒܐ ܒܢܥܐ ܕܢܠܦܢ ܠܐܠܝܢ ܕܠܐ ܝܕܥܝܢ ܠܐܠܗܐ.

vain idolatry. Acquire a new mind which worships the maker, not the thing made, in which is depicted the image of justice and truth of the Father and the Son and the Holy Spirit, when you believe and are baptized [f. 19b] into the three glorious names. This is our teaching and our preaching. For it is not by many things that the truth of the Messiah is believed. Those of you who are willing to obey the Messiah know that many times I have repeated my words to you in order that you might learn and understand what you hear. We rejoice in this as the ploughman in his field which is blessed. Our God is glorified by your conversion to him. Because you are saved by this, we also who advise you in this are not cheated of its blessed wages. Because I trust that you are a blessed land according to the will of the Lord Messiah, because of this, instead of the dust of my feet concerning which it was said to us: 'Shake off [the dust] against the city which does not receive our words';[30] behold, I shake off today at the gate of your ears the words of my lips by which are depicted the coming of the Messiah, which has both happened and will happen. Also [I shake off] the resurrection and revival of all people, the separation which is to be between the believers and the infidels, and the blessed promise

ܕܚܕܘܬܐ ܕܒܬܘ̈ܠܬܢ.[a] ܕܢܦܩܘܢ (f. 20 *a*) ܐܝܠܝܢ
ܕܗܝܡܢܘ ܒܗ ܒܡܫܝܚܐ. ܘܫܒܩܘ ܠܗ ܠܐܒܗܝܗܘܢ
ܘܐܡܐ. ܘܐܙܕܘܓܘ ܒܗ ܒܙܘܘܓܐ ܕܐܠܗܘܬܗ. ܘܡܛܠ
ܘܕܡ ܠܝ ܕܢܓܠܐ ܡܠܬܟ ܕܗܫܐ. ܘܐܝܠܝܢ ܕܢܦܩܘ
ܡܠܬܗ ܕܡܫܝܚܐ ܢܦܩܘܢ ܡܐܕܝܢ. ܘܐܦ ܐܝܠܝܢ
ܕܝܬܒܝܢ ܕܢܫܬܘܬܦܘܢ ܥܡܢ ܒܝܠܘܬܐ. ܘܗܡ ܢܛܪܘܢ
ܠܬܫܡܫܬܗܘܢ. ܘܒܢܝ ܗܘܐ ܒܗܕܐ ܗܘ ܐܚܝ ܥܝܢܐ.
ܕܝܠܐ ܗܘܐ ܕܗܘܝܠܐ ܕܐܢܫܘܬܐ ܕܡܗܝܡܢܘܬܐ ܒܥܬ
ܠܗ ܠܗܘܬܗ. ܘܕܠܬܠܐ ܗܘܘ ܐܝܠܝܢ ܕܠܐ ܡܘܡ ܗܘܘ
ܒܗܘ ܒܙܒܢܐ. ܒܗ ܐܦ ܗܢܘܢ ܗܠܝܢ[b] ܕܠܬܠܝܢ. ܒܬܪ
ܡܫܬܘܬܐ ܡܠܝܠ. ܡܢܠܗ ܗܘܘ[c] ܠܬܠܝܗܘܢ. ܘܗܝܡܢܘ
ܗܘܘ ܒܫܘܒܪܬܐ ܕܒܪܘܬܗ ܕܡܫܝܚܐ. ܘܟܕ ܐܡܪ
ܗܘܐ ܗܠܝܢ ܐܚܝ ܥܝܢܐ. ܥܕܡ ܠܗ ܒܪܟܐ ܕܐܘܪܗܝ:
ܘܒܝܐ ܗܘܐ ܐܡܪ ܡܠܟܐ: ܕܡܠܟ ܡܕܝܢܬܐ
ܒܝܕ ܗܘܬ ܒܡܠܟܘܬܗ: ܒܒܪܐ ܘܒܢܝܐ ܢܫܐܝܬ:
ܘܐܡܪܝܢ ܠܗ: ܕܐܪܐ ܗܘ ܘܡܫܡܫܢ ܡܫܝܚܐ ܕܐܙܕܩܦ
ܠܬܚܬ. ܘܐܦ ܗܘ ܚܙܝ[d] ܠܟ ܒܗܕܐ. ܒܕ ܡܥܒܕ
ܗܘܐ ܠܐܠܗܐ. ܕܐܝܟ ܡܐ ܕܥܒܕ ܗܘܐ ܡܢ
ܫܡ ܠܟܘܠܢܐ ܕܠܗ ܟܠ ܡܫܝܚܐ. ܗܒܢܐ ܫܪܐ[e]
ܫܪܝܐ ܬܫܡܫܬܐ (f. 20 *b*) ܕܒܚܕ ܗܘܐ. ܗܘ ܐܚܝ
ܥܝܢܐ ܒܫܡܗ ܕܡܫܝܚܐ. ܘܐܡܪ ܠܗ ܐܦ ܗܘ
ܐܒܓܪ ܡܠܟܐ ܠܐܚܝ ܥܝܢܐ.[f] ܐܝܟ[g] ܡܐ ܕܢܓܠܬ

[a] C. ܕܒܬܘܠܢ. [b] C. omits ܗܠܝܢ. [c] C. ܗܘܐ.
[d] C. ܐܦ ܗܘ ܚܙܝ ܗܘܐ. [e] C. adds ܗܘܐ.
[f] C. ܠܐܚܝ ܥܝܢܐ. [g] C. ܕܐܝܟ.

of future happinesses [f. 20a], which those who have believed in the Messiah and have worshiped him and his exalted Father and have confessed him and the Spirit of his divinity will receive. Now, therefore, it is right for us to conclude our present discourse. As for those who have received the word of the Messiah let them remain with us and also those who are willing to join with us in prayer. Then let them go to their homes."

Addai the apostle rejoiced in that he saw that the multitude of the people of the city stayed with him and that there were few who did not remain with him at that time. Even these few themselves after a few days received his words and believed the gospel of the message of the Messiah.

When Addai the apostle had spoken these things before the whole city of Edessa and King Abgar had seen that all the city rejoiced in his teaching, men and women alike, and were saying to him: "True and faithful is the Messiah who sent you to us," he also rejoiced much in this as he praised God; because as he had heard from Hanan his archivist concerning the Messiah so he had seen [f. 20b] amazing powers which Addai the apostle was doing in the name of the Messiah. King Abgar said to Addai the apostle: "As I sent

ܠܗ ܠܡܫܝܚܐ ܒܐܟܪ̈ܙܘܬܝ܆[a] ܕܠܘܬܗ: ܘܐܝܟ ܡܢܐ
ܕܥܒܠܫ ܠܗ ܐܦ ܗܘ: ܘܦܚܠܬ[b] ܡܢܝ ܕܠܝ ܣܘܡܟܢܐ܂
ܗܟܢܐ ܡܫܡܫܡ ܐܢܐ ܒܗܠ ܣܘܟ̈ܠ ܚܝ̈ܐ܂ ܘܒܗܘܢ
ܒܗܠܝܢ ܡܫܘܐ ܐܢܐ܂ ܒܗ ܡܫܬܒܗܪ ܐܢܐ܂ ܡܛܠ
ܕܐܡܪ[c] ܐܢܐ܂ ܕܠܘܬ ܚܝܠܐ ܚܕܝܐ ܕܗ̈ܘܝܢ ܒܫܡܗ܂
ܗܠܝܢ ܐܬܘ̈ܬܐ ܘܬܕܡܪ̈ܬܐ܂ ܐܠܐ ܒܚܝܠܗ ܕܡܫܝܚܐ
ܕܡܦܪܣ ܐܢܬ ܠܗ ܒܫܘܬܐ ܘܒܚܪ̈ܐ܂ ܘܡܛܠ ܠܗ
ܗܘ ܡܢ̈ܟܪ ܐܢܐ܂ ܐܢܐ ܘܡܢܝܢ ܒܪ܂ ܘܐܟܘܬܗܘܢ
ܘܥܠܬܐ ܡܠܬܐ܂ ܘܡܛܠ ܗܠ ܐܝܟܐ ܕܡܪ̈ܟܐ ܐܢܬ܂[d]
ܒܢܝ ܒܗܕܬܐ ܒܢܬ ܓܘܒܐ܂ ܕܐܝܠܝܢ ܕܗܘܢܒܘ
ܘܡܗܘܡܢܝܢ ܒܡܠ̈ܝܟ܂ ܘܐܝܟ ܡܢܐ ܕܡܘܫ ܠܟ ܡܢ
ܡܢܝ܂ ܗܘܝܬ ܡܫܡܫ ܐܢܬ ܒܟܢܘܫܐ ܬܒܠܐܝܬ܂
ܘܐܝܠܝܢ ܕܗ̈ܘܝܢ ܒܒܝܬܟ ܡܠܦܢܐ ܒܗܦܟܬܐ ܗܕܐ܂
ܕܡ̈ܢܐ ܕܒ̈ܪܬܐ ܡܠܝܟ ܐܢܐ ܕܐܬܠ ܠܗܘܢ܂ ܕܗܕܡ
ܒܗ ܬܫܡܫܬܐ ܠܐ ܢܗܘܐ ܠܗܘܢ ܒܟ̈ܪܐ ܐܚܪܢܐ܂
ܘܒܗܠ ܡܕܡ ܕܡܬܒܥܐ ܠܟ[e] (f. 21 *a*) ܠܬܘܩܢܗ ܕܒܝܬܟ܂
ܐܢܐ ܣܦܩ ܐܢܐ ܠܟ ܕܠܐ ܚܘܫܒܢ܂[f] ܒܗ ܗܘܐ
ܡܠܬܟ ܥܠܝܬܐ ܘܡܫܡܠܝܐ ܒܒܪܬܐ ܗܢܐ܂ ܘܕܠܐ
ܐܢܫ ܚܪܢܐ܂ ܗܘܝܬ ܒܟܠ ܐܢܬ ܠܘܬܝ܆[g] ܡܫܠܛܢܐܝܬ
ܠܐܦܝ̈ܢܐ ܕܐܝܣܘܪ̈ܗ ܕܡܠܟܘܬܝ܆ ܘܒܗ ܢܝܚܬ ܗܘܐ ܐܟܦܪ

[a] C. ܒܐܟܪܙܘܬܝ܆.
[b] C. ܡܚܠܬ ܘܐܦ.
[c] C. ܕܐܡܪ ܕܝܢ.
[d] C. ܕܒܝܬܟ.
[e] The word ܠܟ is marked to be deleted.
[f] C. ܚܘܫܒܢ.
[g] C. ܠܘܬ ܡܪܝ܆.

to the Messiah in my letter, as he also sent to me, and I have received from you yourself today, so I will believe all the days of my life. In these very things I will remain and take glory because I know that there is no other power in whose name these signs and wonders are done than by the power of the Messiah whom you proclaim in justice and truth. Now, therefore, I will worship him, I and Maanu my son and Augustine and Shalmath the queen. Wherever you wish, therefore, build a church, a meeting-place, for those who have believed and continue to believe in your words. As it was commanded to you by your Lord, you should serve for a season with assurance. As for those who become teachers with you in this gospel, I am ready to give to them large gifts in order that they might have no other work in addition to the ministry. Everything that you need [f. 21a] for the expenses of the building I will give to you without end since your word prevails and reigns in this city. You alone shall enter in unto me freely into my royal palace of honor."

When King Abgar had gone down

ܡܠܟܐ[a] ܠܐܦܕܢܐ ܕܡܠܟܘܬܗ̇. ܚܕܐ ܗܘܐ ܗ̣ܘ
ܘܪ̈ܘܪܒܢܘܗܝ ܥܡܗ. ܚܕܘ ܘܦܨܚܘ ܘܡܫܬܒܗܪܝܢ.
ܘܐܬܒܣܡܘ ܘܡܩܕܪܬ.[b] ܟܡ ܙܒܢܐ ܕܡܬܕܒܪܝܢ܆ ܒܟܠ
ܡܕܡ ܕܫܦܝܪ ܗ̣ܘ ܒܥ̈ܝܢܝܗܘܢ. ܘܡܫܡܥ ܗ̣ܘ ܐܦ
ܐܕ̈ܢܝܗܘܢ. ܘܒܫܘܕܥܬܐ ܕܠܒܗܘܢ. ܡܫܒܚܝܢ ܗܘܘ ܐܦ
ܗ̣ܢܘܢ ܠܐܠܗܐ. ܕܐܦܝܣ ܗܘܐ ܐ̇ܢܫܝܗܘܢ ܠܘܬܗ̇.
ܟܕ ܒܥ̇ܝܢ ܗܘܘ ܒܫܠܡܘܬܐ ܕܡܫܝܚܝܢ ܗܘܘ ܒܗ̇.
ܘܡܗܕܪܝܢ ܗܘܘ ܒܣܒܪܬܗ ܕܡܫܝܚܐ. ܘܟܕ ܚ̇ܙܐ
ܗܘܐ ܐܕܝ, ܒܕܝܘܬܐ. ܡܬܦܪܢܣܝܢ ܗܘܘ ܒܗ̇ ܢܓ̈ܕܐ
ܘܩܘܪ̈ܒܢܐ. ܩܒܠܘ ܘܐܢܫܘܬܐ[c] ܕܡܕܒܪܢܘܬܐ. ܘܬܘܒ
ܡܫܡܫܝܢ ܗܘܘ ܟܠ ܝܘ̈ܡܝ ܚܝ̈ܝܗܘܢ. ܘܡܒܪܟ ܗܘܘ
ܠܘܬܗ ܕܐܕܝ. ܒܗܘܕܝ̣ܐ ܘܒܪ ܡܠܟܐ. ܐܝܟ ܕܐܪ̈ܥܐ
ܐܢܘܢ ܘܡܩܘܕܪܐ. ܘܠܟܝܢܥܐ ܫܩ̈ܕܐ[d] ܕܡܠܟܐ. ܘܡܫܬܐܠܝܢ
ܗܘܘ ܠܗ ܠܐܕܝ, ܥܠ ܥܘܒܕܗ ܕܡܫܝܚܐ. ܕܢܐܡܪ
ܠܗܘܢ. ܕܐܝܟܢܐ ܠܡ ܒܪ ܐܠܗܐ ܗܘܐ̇. (f. 21 *b*)
ܡܬܚܙܐ ܗܘܐ ܠܗܘܢ ܐܝܟ ܒܪ ܐܢܫܐ. ܘܐܝܟܢܐ
ܡܫܡܫܝܢ ܗܘܘܬܗܘܢ ܫ̇ܪܝܢ ܐܢܘܢ ܒܗ. ܘܠܟܠܗܘܢ
ܡܫܒܚ ܗܘܐ ܠܗܘܢ ܥܠ ܗܕܐ. ܥܠ ܟܘܠ ܕܫܦܝܪ,[e]
ܒܥ̈ܝܢܝܗܘܢ. ܘܥܠ ܟܘܠ ܡܕܡ ܕܡܫܡܥ ܗ̣ܘ, ܐܕ̈ܢܝܗܘܢ
ܡܢܗ. ܘܟܠܡܕܡ ܕܐܡ̇ܪܘ ܗܘܘ ܒܠܒܗܘܢ, ܢܟܝܢܐ:
ܕܠܐ ܗܘܐ ܡܕܡܫܢܝܢ ܘܡܦܠܓܝܢ ܗܘܘ ܒܠܒܗܘܢ,
ܒܡܫܡܫܢܘܬܐ ܘܡܗܝܡܢܘܬܐ. ܘܠܝܬ ܗܘܐ ܐܢܫ ܕܢܐܡܪ

[a] C. omits ܡܠܟܐ.
[b] MS. ܘܡܗܕܪܬ.
[c] C. ܘܢܫܘܬܐ.
[d] C. ܫܩ̈ܕܐ.
[e] C. adds ܗ̣ܘ.

F

to his royal palace he and his nobles with him rejoiced: Abdu, Garmai, Shmeshgram, Abubai, and Meherdath, with the rest of their companions, in everything which their eyes had seen and their ears had heard. In the rejoicing of their heart they also praised God who had turned their mind to himself, while they renounced the paganism in which they lived and acknowledged the gospel of the Messiah. When Addai had built the church they offered alms and oblations in it, they and the people of the city, and there they offered service all the days of their lives.

Then there drew near to Addai Avida and Bar Calba who were superiors and officers and who wore royal tiaras.[31] They asked Addai concerning the Messiah that he should tell how it was that though he was God, [f. 21b] he had appeared to them as a human being and how it was possible to see him. He satisfied them concerning this, concerning all which their eyes had seen and concerning everything which their ears had heard about him. He rehearsed to them everything which the Prophets had said concerning him and they received his words with gladness and faith. There was no man who stood

ܗܘܐ ܠܡܘܟܠܗ. ܠܐ ܓܝܪ ܢܣܒܝܢ ܗܘܘ ܚܫ̈ܚܐ ܕܥܒ̈ܕܐ
ܗܘܐ̇. ܕܢܩܘܡ ܗܘܐ[a] ܐܢܫ ܠܡܘܟܠܗ. ܫܘܚܕܐ ܕܝܢ
ܘܡܓܒܝܢܘܬܗ: ܙ̈ܒܢܐ ܕܒܘܨܪ̈ܐ ܕܦܐܪ̈ܐ ܗܘܝܐ: ܟܕ
ܦܐܪܘ ܘܕܝܢܘ[b] ܣܓܝ̈ܐܬܗܘܢ: ܟܕ ܚܙܘ ܗܘܘ ܐܬܘ̈ܬܐ
ܕܥ̈ܒܕܐ ܗܘܝ̇. ܙܡܪܘ ܗܘܘ ܘܒܣܪܘ ܗܘܘ ܒܠܗ̈ܘܬܐ.
ܕܚܠܝܡܝܢ ܡܕܒܚܝܢ ܗܘܘ̇. ܡܕܡ ܢܟܘ ܘܟܠ ܐܠܦ̈ܝܗܘܢ.
ܠܒܪ ܡܢ ܚܠܠܬܐ ܙܒܢܬܐ ܕܡܬܓܒܝܬ ܒܟܪܟܐ. ܘܡܚܝܢ
ܗܘܘ ܘܐܡܪܝܢ. ܕܒܪܝܐܪܬ ܗܘܝ̇ ܬܠܡܝܕܘܬܐ ܕܗ̇ܘ
ܪܒܐ ܡܘܗܪܐ ܘܡܫܝܚܐ̇. ܕܡܫܡܫܝܢ ܗܘ[c] ܟܠ ܐܝܠܝܢ[d]
ܕܚܙܐ ܗܘܐ ܒܐܬܪܐ ܕܦܠܘܛܝܢܐ. ܘܟܠ ܐܝܠܝܢ
ܕܡܫܡܫܝܢ ܗܘܘ ܒܡܫܝܚܐ̇. ܫܡܥܠ ܗܘܐ ܠܗܘܢ
ܐܝܟ. (f. 22 a) ܘܡܫܡܫ ܗܘܐ ܠܗܘܢ ܒܫܡ ܐܒܐ
ܘܒܪܐ ܘܪܘܚܐ ܕܩܘܕܫܐ. ܘܐܝܠܝܢ ܕܠܟ̈ܬܒܐ ܘܠܩܝܡܐ
ܦܬܝܡ ܗܘ̣ܘ. ܠܘܬ ܬܠܡ̈ܝܕܘܗܝ، ܫܠܝܚܝܢ ܗܘܘ. ܟܕ[e]
ܫܠܝܡ ܘܡܬܟܬܒܝܢ. ܡܢ ܒܬܫܥܝܬܐ ܕܫܢܝܘܬܐ
ܕܫܘܒܩܬܐ. ܐܦ ܫܘ̈ܕܝܐ ܡܕܡ ܢܚܘܘܢ ܘܢ̈ܬܢܐ:
ܐܝܠܝܢ ܕܨ̈ܒܝܢܐ ܚܕܝܢ ܗܘ̣ܘ. ܐܦ ܗܢܘܢ ܐܬܦܫܘ
ܗܘ̣ܘ. ܘܐܬܬܠܚܡܘ ܘܐܘܕܝܘ ܗܘܘ ܒܡܫܝܚܐ ܕܚܙܘܗ̇
ܗ̣ܘ ܕܐܠܗܐ ܚܝܐ. ܠܐ ܕܝܢ ܐܟܚܕܐ ܡܠܟܐ: ܘܠܐ
ܐܝܟ. ܫܠܝܚܐ: ܒܪܝܐ ܗܘܐ ܠܐܢܫ ܕܡܦܪܣܐܬ ܢܗܡܘܢ

[a] C. omits ܗܘܐ. [b] C. ܘܕܝܢܘܗ.

[c] Originally ܗܘܘ, but the second ܘ is erased. Read ܕܡܫܡܫܝܢ ܗܘܝܢ, as in C.'s text.

[d] C. omits ܐܝܠܝܢ. [e] C. omits ܟܕ ܫܠܝܡ.

against him, for the heroic deeds which he did permitted no one to rise up against him.

[As for] Shavida and Ebednebo, high priests of this city, together with Piroz and Danaku, their companions, when they saw the signs which he did, they made haste and broke down the high places upon which they had been sacrificing to Nebo and Bel, their gods, except for the great high place which was in the midst of the city. They shouted and said: "Truly this is the disciple of that skillful and glorious teacher of whom we have heard[32] all which he did in the land of Palestine." Addai received and baptized [f. 22a] in the name of the Father and the Son and the Holy Spirit all who believed in the Messiah. Those who had been worshiping stones and wood sat at his feet learning and being reformed from the raging madness of paganism. Even the Jews who were learned in the Law and the Prophets, who traded in silk, submitted and became followers and confessed that the Messiah is the Son of the living God.

But neither King Abgar nor the Apostle Addai forced anyone by constraint to believe

ܗܘܐ ܒܗ ܒܡܫܝܚܐ. ܡܛܠ ܕܕܠܐ ܦܘܪܢܣܐ ܕܐܢܫ.
ܦܘܪܢܣܐ ܕܐܢ̈ܬܘܬܐ ܒܢܝܐ ܗܘܐ̇. ܠܡܣ̈ܟܢܐ ܕܢܗ̇ܡܟܠܘܢ
ܗܘܘ ܒܗ. ܘܒܝܘܡܐ ܫܡܥܝܢ ܗܘܘ ܡܠܦܢܘܬܗ̇. ܟܠܗ
ܐܬܪܐ ܗܢܐ ܕܒܝܬ ܢܗܪ̈ܝܢ. ܘܦܢ̈ܝܬܐ ܟܠܗܝܢ ܕܚܕܪ̈ܘܗܝ.
ܐܦ ܕܝܢ ܒܢ̈ܝ ܚܐܪ̈ܐ ܘܥܒ̈ܕܐ ܕܡܠܟܐ: ܘܩܠܘܦ
ܘܡܫܡܫܢܝܬܐ: ܘܒܪܘܗܡܝܢܐ ܥܡ ܥܒܕܐ ܕܢܫ̈ܝܐ
ܣܒܪ̈ܝܢܘܗܝ ܢܡܘܣܗ، ܗܘ[a] ܠܐܕܝ ܫܠܝܚܐ. ܘܦܬܠ ܗܘ[b]
ܐܢܘܢ. ܘܥܒܕܬ ܐܢܘܢ ܒܗ ܒܬܫܡܫܬܐ. ܒܪ̈
ܦܢܝ ܗܘܘ ܒܕܝܬܘܐ ܚܬܝܬܐ ܘܣܕܪ̈ܬ ܘܒܢ̈ܝܢܐ.
ܘܒܫܘܒܚܪ̈ܝܢܘܗܝ ܕܥܠܝܫ̈ܝܐ (f. 22 *b*) ܟܠܗܘܢ ܒܗܘܢ
ܡܬܬ̇ܚܒܝܢ ܗܘܘ. ܒܪ ܚܘܡܫ ܗܘܐ ܠܗܘܢ ܘܗܢܐ ܐܬܝ.
ܕܗܦܘ ܕܒܝܢ ܦܓܪ̈ܝܗܘܢ[c] ܘܡܩܒܠܝܢ ܠܗܘܢ ܒܫܡ̈ܫܬܐ: ܐܝܟ
ܕܘܪܫ ܠܐܢܫܐ ܕܥܡܠܝܢ ܡܢ ܡܕܒܪܢܘܬܗ ܕܐܠܗܐ.
ܘܗܦܘܬܗ ܠܗ ܢܣܒܝܢ ܡܢ ܡܘܡܬܐ ܕܟܠ̈ܬܐ. ܘܗܘ
ܡܠܠܐ ܕܪ̈ܘܚܐ. ܘܗܘ ܡܫܡܘܕܬܐ ܕܥܡܪܘܢ. ܕܟܪܘܙܐ
ܦܬܓܡܐ. ܘܗܘ ܫܪ̈ܒܐ ܕܠܒܬ ܟܠܗܘܢ ܙ̈ܒܢܐ. ܘܗܘ
ܫܒܝܐ ܘܦܪ̈ܓܡܐ ܘܟܘܪܐ. ܘܗܘ ܫܠܡܐ ܘܟܠܬ ܬܠܕܐ.
ܕܡܬܟܗܪܝܢ ܒܗܘܢ ܟܠܪ̈ܝܢ ܠܚܝܢܐ. ܘܗܘ ܒܗܟܢܐ
ܘܡܠ̈ܐܟܐ ܕܬܟܝܠܝܢ ܟܠܗܘܢ ܥܢܝܐ. ܘܐܪܫܘܗ ܡܒܗܘܢ
ܡܗܘܒ ܒܟ̈ܗܢܐ ܕܒܗܠܝ. ܘܥܡܫ̈ܕܐ ܘܡܫܪ̈ܒܢܐ
ܕܡܬܢܫܒܝܢ ܒܗܘܢ ܕܩ̈ܢܐ. ܘܒܗ ܗܕܐ ܕܐܬܥܒܕܬܐ

[a] ܐ erased. Read ܗܘܘ, as in C.'s text.

[b] Originally ܗܘܐ, but ܐ erased. The word is not in C.

[c] C. ܦܓܪ̈ܝܗܘܢ and ܒܫܡ̈ܫܬܗܘܢ.

in the Messiah; because without human compulsion, the compulsion of signs compelled many to believe in him. All the country of Mesopotamia and all the regions around it received his teaching with love.

Aggai, who made regal silks and tiaras, Palut, Abshelama, and Barsamya, with the rest of their companions, followed Addai the apostle. He received them and made them partakers with him in the ministry. They read in the Old and New Testament, in the Prophets and in Acts [f. 22b] of the Apostles, always meditating on them. He, on the other hand, commanded them carefully that their flesh should be clean and their bodies holy, as is right for men who stand before the altar of God. [He also commanded] that they should be "far removed from deceitful oaths, impious killing, and false witness which is mingled with adultery, from incantations, concerning which there is no mercy, from augury, divination, familiar spirits, the casting of lots, horoscopes, in which erring Chaldeans boast, and from star and zodiacal signs in which the foolish trust. Put far away from you lawless dissimulation, bribes, and gifts by which innocent people are condemned. In addition to this ministry

ܕܐܬܦܪܫܬܘܢ ܠܗ̇. ܠܐ ܬܘܒ ܢܗܘܐ ܠܟܘܢ ܦܘܠܚܢܐ
ܫܪܝܐ. ܡܪܝܐ ܗܘ ܓܝܪ ܦܘܠܚܢܐ ܕܐܫܬܡܫܬܘܢ ܒܗ̇ ܟܠ
ܗܟܢ ܫܢܝܟܘܢ. ܘܗܦ̣ܘܟܘܢ ܣܩܘܦܝܢ ܠܡܬܠ ܪܘܫܡܐ
ܕܡܫܡܫܢܘܬܐ. ܘܠܐ ܗܦ̣ܘܟܘܢ ܪܫܡܝܢ ܡܬܦܪ̈ܫܘܗܝ
ܕܥܠܡܐ ܗܢܐ. ܘܗܦ̣ܘܟܘܢ ܥܡܡܝܢ ܐܢܬܘܢ ܕܝܢܐ
ܒܐܝܬܘܬܐ ܘܒܡܘܫܚܬܐ. ܘܠܐ ܬܗܘܘܢ ܬܘܠܕܬܐ
ܠܟܘܟ̈ܒܐ. ܕܕܠܡܐ ܢܬܦܠܓ ܒܟܘܢ ܫܡܥܗ ܕܗܘ̇
(f. 23 a) ܕܒܬܪܗ ܗܘܐ ܠܟܘܟ̈ܒܐ ܐܝܟ ܡܐ ܕܢܒܥܝܢ.
ܟܠ ܚܕ ܡܚܝܠ ܕܢܚܘܐ ܠܟܘܢ. ܢܬܒܥܘܢ ܕܫܠܝܛܝܢ
ܐܢܬܘܢ ܗܘ̇. ܠܟܠ ܚܕ ܕܡܚܕܪܝܢ ܐܢܬܘܢ ܘܡܠܟܝܢ
ܐܢܬܘܢ܆ ܘܡܫܡܫܝܢ ܗܘܘ ܒܗܘܢ ܒܟܕܬܐ ܕܝܢܐ ܗܘܐ
ܗ̇ܘ ܐܕܝ. ܡܢ ܡܠܬܗ ܘܦܘܪܢܣܗ ܕܐܒܓܪ ܡܠܟܐ.
ܟܕ ܡܬܦܪܢܣܝܢ ܗܘܘ ܡܢ ܕܡܠܟܐ ܘܡܢ ܕܐܣܛܪ̈ܘܢܐ.
ܘܡܬܝܬܝܢ[a] ܡܢܗܘܢ ܠܒܝܬܐ ܕܐܠܗ̈ܐ. ܘܡܫܡܫܝܢ
ܠܦܘܪܢܣܐ ܕܢ̈ܦܫܬܐ. ܒܚܕܐ ܕܝܢ ܦܠܝܓܐ ܠܒܗܘܢ
ܒܗܘܢ. ܒܢܝܢ ܗܘܘ ܘܐܬܝܢ ܠܓܠܗܐ ܕܐܬܡܫܡܫܬܐ.
ܘܠܕܬܘܬܐ ܒܬܘܠܬܐ ܘܣܕܪܬܐ ܕܕܦܫܪܘ[b]. ܘܒܢ̈ܝܢܬ
ܡܕ̈ܬܐ ܡܫܡܫܝܢܝܢ ܗܘܘ̇. ܘܠܒܢ̈ܝܢܗܘܢ ܒܫܒܝܪܐ
ܕܢܘܫܚܐ ܦܩܝܕ ܗܘܘ. ܘܒܪ̈ܕܐ ܕܒܕܬܐ ܒܪ̈ܟܢܗܘܢ[c]
ܒܒܕܝܢ ܗܘܘ. ܘܟܠ ܗܘ ܒܥܗܕܐ ܕܒܕܬܐ ܐܡܝܢܝܢ
ܗܘܘ. ܘܡܘܒܕ̈ܢܐ ܕܕܦܬܐ ܡܒܝܢܝܢ ܗܘܘ. ܟܕ
ܒܪ̈ܗܘܢ ܘܫܠܝܡܐ. ܐܝܟ ܡܠܟܗܘܢ ܕܐܒܓܪ ܕܐܝܬܝܗܘܢ.

[a] C. omits ܘܡܬܝܬܝܢ. [b] C. ܕܕܦܫܪܘ. [c] C. ܒܒܢܝܗܘܢ.

to which you have been called, you should have no other occupation. For the Lord is the work of your ministry all the days of your life. You should be diligent to give the sign of baptism and do not desire the possessions of this world; but listen to judgment with uprightness and truth. Do not be a stumbling-block to the blind lest the name of the one who opened the eyes of the blind be reviled among you [f. 23a] as we have seen. All, therefore, who see you will perceive that you yourselves obey everything which you proclaim and teach."

So they ministered with him in the church which Addai had built by the word and commandment of King Abgar, being supplied from that which was from the king and his nobles. They brought some things for the house of God and some things for the support of the poor. Many people assembled daily and came to the prayer service and to the [reading of the] Old Covenant and the New of the Diatessaron. They believed in the resurrection of the dead and buried their dead in hope of the resurrection. They observed the festivals of the church in their times. Every day in the vigil of the church they remained constant. They made visitations of alms to the sick and to the well according to Addai's teaching to them.

ܘܒܫܘ̈ܩܝܗ ܕܡܕܝܢܬܐ ܒܬ̈ܪܥܐ ܡܬܚ̈ܙܝܢ ܗ̈ܘܘ. ܘܐܝܟܢܐ
ܕܒܗܬ̈ܬܐ ܡܫܬܠܡܝܢ ܗܘܘ ܡܢܗ̇ ܦ̈ܓܪܐ. ܗܟܢܐ
ܕܐܦ ܡܕܝܢ̈ܝܐ. ܟܕ ܚܙܘ ܬܓܪ̈ܐ. ܠܟܠܗ ܙ̈ܒܘܢܝܐ
ܙܒܢܝܢ ܗܘܘ̇. ܕܢܣܒܘܢ ܗܘܘ ܐܢ̈ܬܬܐ ܕܒܢ̈ܝܐ (f. 23 *b*)
ܗܘܐ ܐܕܪ. ܘܐܝܠܝܢ ܕܡܬܬܠܡܝܢ ܗܘܘ ܡܢܗܘܢ.[a]
ܡܫܬܠܡܝܢ ܗܘܘ ܡܢܗܘܢ. ܐܝܟ ܕܒܗܬ̈ܬܐ. ܘܒܐܬܪܐ
ܕܠܘܬܗܘܢ ܕܐܬܘܪ̈ܝܐ. ܠܟܠ ܚܕ ܡܢܗܘܢ ܡܫܬܠܡܝܢ
ܗܘܘ. ܐܢ̈ܬܬܐ ܕܝܠܕ̈ܬܐ ܒܒܣܝܪ ܬܘܒ ܙܒܢܝܢ ܗܘܘ.
ܡܢ ܡܠܟܐ ܕܗܘ̈ܝ، ܠܟܘܪܐ ܘܚܣܝܪܘ، ܠܟܘܪܐ.[b] ܢܦܩ،
ܕܝܢ ܡܠܟܐ ܕܐܬܘܪ̈ܝܐ: ܟܕ ܫܡܥ ܗܘܐ ܗܢܝܢ ܗܠܝܢ
ܕܟܬܒ ܐܕܪ، ܫܠܝܚܐ: ܫܠܚ ܗܘܐ ܠܗ ܠܐܢܣܛܣ
ܡܠܟܐ. ܕܐܘ ܫܕܪ ܠܗ ܟܣܦܐ[c] ܗ̇ܘ ܕܗܠܝܢ ܐܬܘ̈ܬܐ
ܒܟܬܒ ܝܐܕܘܢ: ܕܐܣܝܘܗܝ، ܘܐܫܟܚ ܡܠܬܗ. ܐܘ
ܫܠܘܚ ܠܝ ܟܠ ܐܝܠܝܢ[d] ܕܢܣܒܬ ܕܟܒܪ ܒܟܪܟܐ ܕܝܠܝ.
ܘܟܬܒ ܗܘܐ ܠܗ ܐܟܪܙ ܠܒܢܘ، ܘܐܘܕܥܗ ܗܘܝ
ܟܠܗ̇ ܬܫܥܝܬܐ ܕܫܪܟܗ ܕܐܕܪ. ܡܢ ܫܘܪܝܐ ܠܫܘܠܡܐ.
ܘܠܐ ܫܒܩ ܗܘܐ ܡܕܡ ܕܠܐ ܟܬܒ ܗܘܐ ܠܗ. ܟܕ
ܕܝܢ ܫܡܥ ܗܘܐ ܢܦܩ، ܐܝܟ ܕܐܬܟܬܒ ܗ̈ܘܘ ܠܗ̇.
ܬܡܝܗ ܗܘܐ ܘܐܬܕܡܪ. ܐܟܪܙ ܕܝܢ ܡܠܟܐ: ܡܛܠ
ܕܠܐ ܐܫܟܚ ܗܘܐ ܕܢܟܪܙ ܠܟܠܗ ܬܫܥܝܬܐ: ܘܢܐܙܠ
ܗܘܐ ܠܥܠܡܝܢܐ ܘܢܦܠܠ ܗܘܐ ܠܫܘܪܝܐ: ܟܠ
ܕܘܟܬܐ ܗܘܘ ܠܡܥܝܢܐ. ܟܬܒ ܗܘܐ ܐܟܪܙܬܐ.

[a] C. omits ܡܢܗܘܢ. [b] C. ܠܟ̈ܦܢܐ.

[c] C. ܠܟܣܦܐ. [d] C. omits ܐܝܠܝܢ.

In areas around the city churches were built, and many received ordination to the priesthood from him. Moreover, orientals in the disguise of merchants came over into the territory of the Romans in order to see the signs which [f. 23b] Addai was doing. Those of them who became disciples received ordination to the priesthood from him.[33] In their own country of Assyria they made disciples of the sons of their people, and secretly made houses of prayer there from fear of those who worship fire and who honor fire.[34]

Narses, king of the Assyrians, when he heard the things which the Apostle Addai was doing, sent to King Abgar [saying]: "Either send to me the man among you who does these signs that I might see him and hear his message, or forward to me all those things which you have seen him do in your city." So Abgar wrote to Narses and made known to him the whole story of the affair of Addai from beginning to end; he left nothing which he did not write to him. When Narses heard the things which were written to him he wondered and was amazed.

King Abgar, since he could not pass over into a country of the Romans to enter Palestine and kill the Jews, because they had crucified the Messiah, wrote a letter

ܘܫܕܪ ܗܘܐ ܠܘܬ (f. 24 a) ܦܝܠܛܘܣ ܗܓܡܘܢ . ܟܕ ܟܬܒ
ܒܗ̇ ܗܟܢܐ. ܐܒܓܪ ܡܠܟܐ ܠܡܪܝ ܦܝܠܛܘܣ
ܗܓܡܘܢ ܫܠܡ.[a] ܟܕ ܝܕܥ ܐܢܐ: ܕܡܕܡ ܡܢ ܡܠܟܘܬܟ
ܠܐ ܡܬܛܫܝܐ. ܟܬܒ ܐܢܐ ܘܡܘܕܥ ܐܢܐ ܠܪܒܘܬܟ
ܕܚܝܠܐ ܘܪܒܐ. ܕܫܘܕܥܐ ܕܬܘܬܒܬ ܐܝܟ ܕܒܡܕܝܢ
ܒܐܬܪܐ ܕܦܠܣܛܝܢܐ. ܐܬܒܛܝܐ ܗܘܐ ܘܢܦܩ ܗܘܘ
ܕܠܐ ܦܠܘܬܐ ܕܡܘܬܐ ܠܡܚܝܘܬܐ. ܟܕ ܚܙܐ ܗܘܐ
ܡܕܡܫܝܢ ܐܬܘܬܐ ܘܬܕܡܪ̈ܬܐ. ܘܡܫܝܚܐ ܗܘܐ
ܠܗܘܢ ܚܝܠܐ ܣܓܝܐܐ ܘܐܬܘ̈ܬܐ.[b] ܗܘܝܢ ܕܐܦ
ܡܝ̈ܬܐ ܐܚܝ ܗܘܐ ܠܗܘܢ. ܘܟܕ ܝܕܥܢܢ ܕܢܦܩܘܗܝ
ܗܘܐ. ܒܥܝܢ ܥܡܡܐ ܘܩܛܠܘܬ ܐܝܪܐ. ܘܪܓܠ ܬܘ̈ܗܝ
ܟܠܗܘܢ ܟܪ̈ܝܗܐ. ܘܐܝܟ ܕܗܢ ܐܝܟܕܡܘܗܝ ܟܗܢܐ
ܘܗܟܢܝܢ. ܐܬܩܛܠܬ ܗܘܬ ܠܗ̇ ܟܠܗ̇ ܟܢܫܬܐ
ܘܟܗܢ̈ܘܗ̇. ܘܡܟܝܠ ܡܠܟܘܬܟ ܝܕܥܝ. ܡܟܢܐ ܕܕܡ
ܕܬܟܘܢ ܥܠ ܟܠܗܝ ܕܫܘܕܥܐ ܕܗܠܝܢ ܟܠܗ.

ܘܟܬܒ ܗܘܐ ܦܝܠܛܘܣ ܗܓܡܘܢ. ܘܫܕܪ ܗܘܐ ܠܐܒܓܪ
ܡܠܟܐ. ܘܗܟܢܐ ܟܬܒ ܠܗ. ܕܐܓܪܬܐ ܕܫܕܪܬ
ܕܠܘܬܝ. ܩܒܠܬ ܘܐܬܦܪܫܬ ܡܕܡ. ܥܠ ܡܕܡ ܕܗܘܝܐ[c]
ܗܘܐ ܫܘܕܥܐ ܒܝܘܡܐ. ܘܐܦ ܩܠܝܠܐ ܗܢܐ ܡܢܝ.
ܟܬܒ ܗܘܐ ܘܐܘܕܥܗ (f. 24 b) ܠܐܘܠܛܝܡܘܣ[d]
ܗܦܪܟܐ[e] ܕܠܗ. ܟܠܗܝܢ ܕܗܠܝܢ ܕܟܬܒܬ ܠܗ. ܡܛܠ
ܕܡܢ ܡܪܟܐ ܕܟܬܒ ܐܘܦܝܣܐ: ܕܡܕܪܘ ܟܠܗ ܡܐܡ

[a] C. omits ܫܠܡ.
[b] C. omits ܘܐܬܘ̈ܬܐ.
[c] C. ܕܗܘܝܐ.
[d] C. ܠܐܘܠܛܝܡܘܣ.
[e] C. ܗܦܪܟܐ.

sending it to [f. 24a] Tiberius Caesar, as follows: "King Abgar to our lord Tiberius Caesar, greetings. Although I know that nothing is hidden from your majesty, I write and make known to your powerful and great rulership, that the Jews under your authority who live in Palestine have gathered together and crucified the Messiah who was unworthy of death. This was after he had openly performed signs and wonders and had showed to them mighty powers and signs. Thus he even restored the dead to life. When they crucified him the sun became dark, the earth quaked, and all creatures shuddered, and as from their own selves, all creation and its inhabitants waned at this affair. Your majesty knows, therefore, the right command he should give concerning the Jewish people who have done these things."

Tiberius Caesar wrote and sent to King Abgar as follows: "I have received your sincere letter to me and have had it read to me concerning that which the Jews did with respect to the cross. Indeed Pilate the Procurator wrote and informed [f. 24b] Aulbinus my proconsul concerning these things about which you wrote to me. Because of the war with the Spaniards, who have rebelled against me, which is taking place

ܒܗܢܐ ܙܒܢܐ. ܡܛܠ ܗܢܐ ܠܐ ܐܫܬܟܚܬ ܕܐܬܒܒܗ̇
ܠܡܒܥܘܬܐ ܗܕܐ. ܡܛܠܒܐ ܐܢܐ ܕܝܢ ܕܒܗܐ ܕܗܘ̣ܐ ܠܗ
ܥܠܝܗ̇. ܐܝܟܡܐ ܕܒܠܥܕܘܗܝ ܢܬܚܘܐܬ. ܟܠ ܫܘ̈ܕܪܐ
ܕܠܐ ܗܒܪܗ ܢܬܚܘܐܬ. ܘܡܛܠ ܗܢܐ ܐܦ ܦܠܛܘܗ
ܕܚܒܝܒ ܗܘܐ ܠܗ ܬܘܒ ܗܡܟܣܢܘܬܐ. ܫܪܝܬ ܢܠܟܘܗܝ
ܐܪܢܐ. ܘܫܪܬܗ ܠܗ̇ ܒܝܒܢܐ. ܟܠ ܕܢܦܩ ܡܢ
ܢܒܗܘܐ ܘܟܒܪ ܗܘܐ ܙܒܢܐ ܠܫܘ̈ܕܪܐ. ܘܢܦܩ
ܗܘܐ ܠܡܥܢܝܐ ܠܢܝܫܘܗܝ ܕܫܘ̈ܕܪܐ. ܗ̇ܘ ܕܐܝܟ
ܕܫܟܚ ܐܢܐ ܒܠܝܫܘܗܝ. ܣܠܩ ܘܢܦܩ ܕܒܗܘܬܐ
ܕܬܘܡܪ ܘܠܐ[a] ܗܘܐ. ܘܢܬܚܙܐ ܡܢܝܫܘܗܝ ܘܕܪ ܗܘܐ.
ܬܪܐܝܬ ܕܒܢܝ̈ܫܘܗܝ ܫܪܝ ܗܘܘ ܟܠ ܡܕܡ ܕܒܒܪ
ܗܘܐ. ܐܝܟ ܕܝܢ ܐܝܟ ܫܪܝܪܘܬܟ ܕܠܘܬܝ: ܘܡܒܥܐ
ܫܪܝܪܐ ܕܠܟ ܘܐܕܡܘ̈ܟ. ܫܦܪ ܒܓܘܬ ܕܟܬܒܬ ܠܗ
ܡܢܝܐ. ܘܦܠܛ ܗܘܐ ܐܟܙܢܐ ܡܠܟܐ ܠܐܪܦܛܝܬܐ.
ܕܐܬܥܬܪ ܗܘܐ ܡܢ ܦܢܛܝܣ[b] ܩܣܪ ܐܘܓܘܣܛܘܣ. ܘܫܒܩ
ܗܘܐ ܥܬܪܗ ܗܘܐ ܒܕ̈ܘܟܝܐ ܕܐܝܣܪ̈ܝܐ. ܕܪܕܦ ܠܗܘܢ
ܡܢ (f. 25 a) ܕܥܒܪܗ ܠܘܬܗ. ܘܢܦܩ[c] ܡܢ ܐܘܪܗܝ.
ܘܐܙܠ ܗܘܐ ܠܬܝܒܘܬܐ.[d] ܐܝܟܢܐ ܕܐܬܢܟܣܘܗܝ ܗܘܐ
ܡܠܕܢܚܐ[e] ܬܪܢܐ ܕܡܠܟܐ. ܘܡܢ ܬܡܢ ܬܘܒ ܐܙܠ
ܗܘܐ ܠܐܪܡܢܝܐ. ܕܬܡܢ ܗܘܐ ܦܢܛܝܣܘܣ ܩܣܪ.
ܟܐܦܐ ܕܝܢ: ܦܬܟܬܐ ܕܣܪܘ̈ܗܝ ܕܡܠܟ ܕܩܣܪ ܢܦܠ

[a] C. omits ܘܠܐ.

[b] C. ܦܢܛܝܣܘܣ.

[c] C. omits ܘܢܦܩ.

[d] C. ܠܬܝܒܘܬܐ.

[e] C. ܡܠܕܢܚܐ.

at this time I have been unable to inquire into this matter. But I am ready whenever I have quiet to make a legal charge against the Jews who have acted unlawfully. Moreover, in the place of Pilate, whom I appointed as governor there, I have sent another and dismissed him in disgrace. This is because he deserted the law and did the will of the Jews, and for their appeasement crucified the Messiah, who, according to what I have heard about him,[35] should have been honored instead of [receiving] a cross of death. But this was not what happened. It is right that he should have been worshiped by them, particularly since they saw with their own eyes everything which he did. As for you, in accordance to your loyalty toward me and the faithful covenant of yours and your fathers, you have done well in writing to me in this way."

King Abgar received Aristides who had been sent to him by Tiberius Caesar and sent him back with gifts of honor fitting for the one who [f. 25a] had sent him to him. [This one] left Edessa and went to Tiqnutha where Claudius, the second in command to the king, was. From there he went to Artica where Tiberius Caesar was. --Gaius, of course, was guarding the districts around Caesar.--

ܗܘܐ. ܘܐܫܬܟܚ ܗܘܐ ܘܐܦ ܗܘ ܐܪܘܛܠܝܩܘ ܡܕܡ
ܠܡܙܒܢܘܗ ܥܠ ܫܬܠܐ ܕܟܦܢܐ ܗܘܐ ܐܕܪ. ܡܕܡ
ܐܚܪܢ ܡܐܟܠܐ. ܘܡܢ[a] ܕܗܘܐ ܗܘܐ ܠܗ ܥܠܠܐ ܡܢ
ܡܕܡܝ. ܥܕܪ ܗܘܐ ܦܠܛ ܡܢ ܕ̈ܘܝܢܐ ܕܡܘ̈ܬܢܐ.
ܕܐܝܬ ܗܘܐ ܒܠܘܛܝܢܐ. ܘܟܕ ܥܒܕ ܗܘܐ ܐܚܪܢ
ܡܠܟܐ. ܚܕܝ ܗܘܐ ܒܗܕܐ ܠܒܗ. ܕܦܟܠܘ ܗܘܘ
ܡܘ̈ܕܝܐ ܡܢ ܢܟܣ ܒܙܒܢܐ ܐܝܟ ܕܐܪܡ. ܘ. ܘܘ ܘܡܢ
ܒܬܪ ܥܢܝܐ ܕܒܝܬܐ ܗܘܐ ܐܕܪ، ܥܠܝܬܐ ܒܕܒܬܐ
ܒܐܪܥܗ: ܘܐܬܡܠܝ ܗܘܐ ܒܟܠ ܡܕܡ ܕܐܪܡ ܗܘܐ
ܠܗ: ܘܬܠܡܕ ܗܘܐ ܠܗܘܠܟܐ ܕܐܢܫܘܬܐ ܕܡܕܝܢܬܐ:
ܘܐܦ ܒܡܘ̈ܬܢܐ ܚ̈ܝܘܬܐ ܕ̈ܚܝܡ ܘܕܡ̈ܢܝܢ. ܒܝܬܐ
ܗܘܐ ܒܢ̈ܬܐ ܘܚܠܒ ܘܡܝܬ. ܘܡܫ̈ܡܫܢܐ[b] ܘܡܫ̈ܡܢܝ
ܐܡܝܢ ܗܘܐ ܒܗܘܢ. ܘܕܦܢܝܢ ܗܘܐ[c] ܒܬ̈ܟܝ ܐܠܦ
ܗܘܐ ܒܗܘܢ. ܘܦܬܓܡܐ ܕܬܫܡܫܬܐ ܠܟܝ ܘܠܟܪ ܐܠܦ
ܗܘܐ. ܒܬܪ ܗܠܝܢ (f. 25 *b*) ܒܠܗܘܢ. ܐܬܒܪܝ ܗܘܐ
ܒܡܪܝܐ ܕܢܟܦ ܗܘܐ ܒܗ ܡܢ ܒܠܟܐ ܗܝܢܐ. ܘܡܪܐ
ܗܘܐ ܠܐܟܝܢ ܡܕܡ ܒܠܗ ܒܝܢܐ ܕܒܕܬܝ. ܘܦܪܟܗ
ܗܘܐ ܘܚܒܕܗ ܗܘܐ ܡܕܒܪܢܐ ܘܦܘܕܐ ܒܕܘܟܬܗ.
ܘܠܦܠܛ ܕܡܫܡܫܢܐ ܗܘܐ. ܚܒܕܗ ܗܘܐ ܡܫܡܫܢܐ.
ܘܠܚܒܠܡܟܐ ܕܦܪܐ ܗܘܐ. ܚܒܕܗ ܗܘܐ ܡܫܡܫܢܐ.
ܘܟܕ ܒܢܝܢ ܗܘܘ ܘܡܢܟܝܢ ܠܬܘܗ: ܣܐܪܐ ܘܕ̈ܫܢܐ:
ܒܪ ܒܠܟܐ ܘܒܪ ܙܠܝ ܘܡܪܘܡܟ ܒܪ ܒܪ ܥܡܟ:
ܘܒܝܬ ܒܪ ܒܗܘܕܐ: ܘܫܢܘܝ ܒܪ ܦܠܪܘ ܒܡ ܥܪܦܐ

[a] C. ܘܟܣܐ. [b] C. ܘܫܡ̈ܫܐ. [c] C. ܗܘܘ.

Aristides himself related to Tiberius the miracles which Addai performed before King Abgar. So when he had respite from war he sent and killed some of the rulers of the Jews who were in Palestine. Upon hearing this King Abgar rejoiced greatly over the fact that the Jews had received just punishment.

Some years after the Apostle Addai had built the church in Edessa, had provided it with everything suitable for it, and had made many disciples from the city's populace, he built churches in other districts as well, both far and near. He adorned and embellished them, set up deacons and presbyters in them, taught those who were to read the Scriptures in them, and taught the orders of the ministry within and without. After all these things [f. 25b], when he had become ill with the sickness by which he left this world, he called Aggai before all the congregation of the church, brought him near, and appointed him leader and ruler in his place. Palut who was a deacon he appointed as presbyter and Abshelama who was a scribe he appointed as deacon. While the nobles and leaders were assembled and standing by him, i.e., Bar Calba, Bar Zati, Marihab the son of Bar Shemesh, Senaq the son of Avida, and Piroz the son of Patric, together with the rest

ܕܡܫܡ̈ܫܢܘܗܝ. ܐܡܪ ܠܗܘܢ ܐܕܝ ܫܠܝܚܐ. ܝܕܥܝܢ
ܐܢܬܘܢ ܘܣܗܕܝܢ ܐܢܬܘܢ:[a] ܟܠܟܘܢ ܕܫܡܥܝܢ ܠܝ.
ܕܟܠ ܡܕܡ ܕܡܟܪܙ ܗ̇ܘܝܬ ܠܟܘܢ ܘܟܬܒ ܗ̇ܘܝܬ ܠܟܘܢ:
ܘܡܫܡܫܝܢ ܗܘܝܬܘܢ ܥܡܝ. ܗܟܢܐ ܐܬܕܒܪܬ
ܒܝܢܬܟܘܢ. ܘܚܙܝܬܘܢ ܐܦ ܒܥܒ̈ܕܐ. ܡܛܠ ܕܗܟܢܐ
ܦܩܕ ܠܝ ܡܪܢ ܕܗܘ ܡܕܡ ܕܡܟܪܙܝܢ ܚܢܢ ܒܡ̈ܠܐ
ܡܕܡ ܒܥܒܕ. ܒܥܒ̈ܕܐ ܗ̇ܘܝܢ ܚܢܢ ܡܚܘܝܢ ܚܢܢ ܠܗ
ܡܕܡ ܥܠ ܐܢܫ. ܘܐܝܟ ܠܚ̈ܫܐ ܘܢܩ̈ܫܐ ܕܩܝܡܝܢ[b]
ܒܐܪܫܠܡ[c] ܘܡܬܕܒܪܝܢ ܒܗܘܢ ܐܦ ܫܠܝ̈ܚܐ ܚܒܪ̈ܝ.
ܗܟܢܐ ܐܦ ܐܢܬܘܢ. ܠܐ ܬܫܢܘܢ (f. 26 a)
ܡܢܗܘܢ ܘܠܐ ܬܒܨܪܘܢ ܡܢܗܘܢ ܡܕܡ. ܐܝܟܢܐ
ܕܐܦ ܐܢܐ ܒܗܘܢ ܗܘ ܡܬܕܒܪ ܗ̇ܘܝܬ[d] ܒܝܢܬܟܘܢ.
ܘܠܐ ܫܢܝܬ ܡܢܗܘܢ ܠܝܡܝܢܐ ܘܠܣܡܠܐ. ܕܠܐ
ܐܬܚܒܪܐ ܗ̣ܘܝܬ ܠܫ̈ܒܝܠܐ ܬ̈ܚܠܝܬܐ ܕܣܛܝܢ ܠܐܝܠܝܢ
ܕܗܠܝܢ ܡܬܕܒܪܝܢ. ܐܙܕܗܪܘ ܗܟܝܠ ܒܬܫܡܫܬܐ ܗܕܐ
ܕܐܚܝܕܝܢ ܐܢܬܘܢ. ܘܒܕܚܠܬܐ ܘܒܪܬܝܬܐ ܗܘ̣ܝܬܘܢ
ܡܫܡܫܝܢ ܒܗ̇. ܘܡܫܡܫܝܢ ܟܠ ܝܘܡ. ܠܐ ܗܘ̣ܝܬܘܢ
ܡܫܡܫܝܢ ܒܗ̇ ܒܥܒ̈ܕܐ ܒܝ̈ܫܐ. ܐܠܐ ܒܦܘܪܫܢܐ
ܕܗܝܡܢܘܬܐ. ܘܬܫܡܫܬܗ ܕܡܫܝܚܐ ܡܢ ܦܘܩܕܢܘܗܝ
ܠܐ ܬܫܠܠ. ܘܡܗܝܡܢܘܬܐ ܒܫܪܪܐ[e] ܕܟ̈ܐܢܐ ܠܦܬܓܡ̈ܘܗܝ
ܠܐ ܬܬܡܣܪ. ܐܙܕܗܪܘ ܒܫܪܪܐ ܕܐܚܝܕܝܢ ܐܢܬܘܢ.
ܘܒܝܘܠܦܢܐ ܕܩܘܫܬܐ ܕܡܫܠܡܘܬܗ. ܘܒܚܐܪܘܬܐ ܕܫܝܢܐ

[a] C. omits ܐܢܬܘܢ. [b] C. adds ܠܬܠܡ̈ܝܕܐ [c] C. ܒܘܪܫܠܡ.
[d] C. ܐܢܐ. [e] C. rightly ܒܫܠܡܘܬܐ.

of their companions, the Apostle Addai said to them: "You know and bear witness, all of you who hear me, that in accordance with everything which I preached and taught you and which you heard from me, I have conducted myself among you that you might see it in deeds. Because thus our Lord commanded us that whatever we preach in words to the people we ourselves should do by deed before all people. According to the regulations and laws which were established by Jerusalem by which the Apostles, my companions, directed themselves, so you should not depart [f. 26a] from them nor subtract anything from them even as I have conducted myself by them among you and have not departed from them to the right or to the left, that I might not become alien to the promised salvation which is kept for those who conduct themselves by these things. Be careful, therefore, in regard to this ministry which you hold. With fear and trembling remain in it and serve each day. Do not serve with vile habits but with the excellence of faith. As for glorifications of the Messiah, let them not cease from your mouth, nor let negligence of the truth with respect to the proper times draw near to you. Be careful in regard to the truth which you hold, the teaching of justice which you received, and the inheritance of salvation

ܕܢܦܠ ܐܝܟ ܠܗܘܢ. ܡܛܠ ܕܗܘܐ ܒܫܡ ܕܡܫܝܚܐ
ܡܬܬܒܥܝܢ ܐܢܬܘܢ ܠܝ. ܡܢܐ ܕܚܙܝܬܘܢ ܘܫܡܥܬܘܢ ܡܢ
ܕܒܘܬܐ ܘܡܠ̈ܝܢ. ܘܡܢܐ ܕܢܦܩ ܒܦܘܡܗ ܡܢ ܬܓܪ̈ܐ
ܒܪܚܡܘܬܐ ܕܗܝܡܢܘܬܐ. ܒܪ ܡܠܟܐ ܗܘ ܓܒܪܐ. ܘܐܙܠ
ܘܢܦܩ ܡܠܟܘܬܐ ܘܢܣܒܟ. ܘܢܐܬܐ ܘܢܚܒܕ
ܘܢܫܡܥ ܠܟܠܗܘܢ ܒܢܝ ܐܢܫܐ. ܘܗܘܝܘ ܡܠܟ ܟܠ
ܒܪܝܬܐ (f. 26 b) ܕܒܐܝܢܘܬܐ.[a] ܘܒܪܐ ܡܬ̈ܝܬܐ ܘܫܡܝܐ
ܐܝܟ ܕܐܡܪܬ ܠܝ. ܒܝܕ ܡܘܬܐ ܕܪܚܡܘܗܝ ܡܢ ܪܘܡܐ
ܠܥܠܡ[b] ܠܐ ܬܬܒܥܘܢ. ܕܠܐ ܢܣܒܢ ܬܘܩܠܬܗܘܢ
ܒܐܘܪܚܐ ܕܠܝܬ ܒܗ ܬܘܩܠܬܐ. ܘܐܦ ܠܐ[c] ܬܘܒܐ
ܗܢܐ ܒܥܒ̈ܕܘܗܝ. ܗܦܘܟܘ ܒܟܝܢ ܐܢܬܘܢ ܐܒ̈ܗܬܐ.
ܘܩܘܕܡ ܐܢܬܘܢ ܕܠܚܝܡ. ܘܫܕܝܢ ܐܢܬܘܢ ܒܡܚܫܒ̈ܬܐ.
ܗܦܘܟܘܢ ܒܟܝܢ ܬܒܝ̈ܬܐ. ܘܢܛܪܝܢ ܐܢܬܘܢ
ܥܡܝܢܘܬܐ. ܡܛܠ ܕܒܣ̈ܕܝܟܘܢ ܡܬܬܟܝܢ ܢܦܫܬܗ
ܕܡܫܝܚܐ. ܠܐ ܗܦܘܟܘܢ ܣܢܝܢ ܐܢܬܘܢ ܠܐܠܗܐ
ܒܚܘܪܐ. ܪܚܝܐ ܓܒܪ ܕܚܐܪ ܕܢܬܗܦܪ ܡܢ ܡܪܚܝܬܗ.
ܒܢܫ ܒܢܫ ܡܢܗܐ ܡܢܗ ܡܪܚܝܬܗ. ܬܗܘܐ ܗܦܟܐ
ܒܛܠܠܬܗܘܢ ܥܠ ܐܡܪ̈ܐ ܥܒܪ̈ܐ. ܕܒܠܐ̈ܒܝܗܘܢ
ܫܝܡ ܦܪ̈ܘܩܗ ܕܐܒܐ ܕܠܐ ܡܬܚܙܐ. ܘܠܐ ܬܗܘܘܢ
ܒܟܦܐ ܕܬܘܠܘܬܐ ܘܩܡ ܒܫ̈ܪܐ. ܐܠܐ ܢܩܠܘ ܐܘܪܚܐ
ܘܥܒܠܐ ܒܐܬܪܐ ܒܗܦܟܐ. ܦܘܚ ܡܗܘܕܐ ܘܦ̈ܩܐ
ܘܣܩܘܒܠܐ ܠܓܒ̈ܪܐ. ܒܗ ܗܠܝܡ ܗ̇ܘ ܓܒܪ ܒܠܚܘܕ[d] ܬܪ̈ܝܢ

[a] C. ܕܒܝܢܘܬܐ.

[b] C. omits ܠܥܠܡ.

[c] C. ܐܠܐ for ܘܐܦ ܠܐ.

[d] C. omits ܒܠܚܘܕ.

which I commit to you. This is because you will be summoned by him before the judgment-seat of the Messiah when he makes a reckoning with the shepherds and bishops and receives his money from the merchants with gainful interest. He is the son of the king and he has gone to receive the kingdom. He will return and come and make a resurrection for all people. Then he will sit upon the throne [f. 26b] of justice and he will judge the dead and the living according as he told us. As for the hidden eye of your mind, let it not be closed by exalted pride lest your offences should be increased. [But remain] in the way in which there are no offences nor hateful wandering in its paths. Seek those who are lost; entreat those who err; rejoice in those who are found; bind up those who are broken and watch over those who are full, because at your hands will the sheep of the Messiah be required. Do not be concerned with honor which perishes. As for the shepherd who is concerned that he should be honored by his flock, he stands poorly in respect to his flock. Let your forethought be much in regard to innocent lambs whose angels behold the face of the Father[36] who is invisible. Do not be a stumbling block before the blind, but make the path and road smooth in a rough place, between the crucifying Jews and the erring pagans.

"With these two parties alone

ܒܢ̈ܝܢ ܐܝܬ ܠܟܘܢ ܡܪ̈ܟܐ.[a] ܕܬܣܩܘܢ ܫܪܪܐ
ܕܗܝܡܢܘܬܐ ܕܐܘܚܕܢ ܐܒܗ̈ܬܟܘܢ. ܘܟܕ ܥܠܝܢ ܐܒܗ̈ܬܟܝ̣ܢ.
ܠܬܘܒܗܘܢ ܡܟܒܒܬܐ (f. 27 *a*) ܘܡܫܪ̈ܝܬܐ. ܬܗܘܐ
ܡܦܪܟܐ ܠܦܬܟܘܢ. ܟܡ ܦܝܘܢ ܕܦܝܢ ܠܡܫܬܘܬܐ[b]
ܘܪܘܡܝܢ ܠܟܘܪܐ. ܠܐ ܬܗܘܘܢ ܡܡܟܝܢ ܠܡܣܟ̈ܢܐ
ܡܕܡ ܒܬܢܪ̈ܐ. ܦܘܡ ܠܟܘܢ ܒܝܬ ܢܓܪܐ ܒܝܫܐ
ܕܡܟܝܢܘܬܗܘܢ. ܠܐ ܬܬܟܒܪܘܢ ܒܫ̈ܒܝܐ ܘܫܒܝܐ
ܕܗܠܝܢ. ܕܠܐ ܬܗܘܘܢ ܒܬ̈ܠܠܐ ܡܢ ܗܝܡܢܘܬܐ
ܕܠܒܝܫܝܢ ܐܒܗ̈ܬܟܘܢ. ܦܫܝܩ ܗܘ ܒܝܢ ܟܘܪܐ ܡܢ
ܗܝܡܢܘܬܢ. ܐܝܟ ܕܕܠܠܐ ܣܦܝܪܐ ܡܢ ܕܕܘܡܘܬܐ.
ܐܕܕܗܘܢ ܗܟܝܠ ܡܢ ܕܩܘܦܐ ܘܠܐ ܬܗܘܘܢ ܠܟܘܢ
ܪ̈ܡܝܢ. ܕܠܐ ܬܬܟܒܪܘܢ ܒܗܡܝܢ ܕܗܢܘ ܕܡܫܝܚܐ
ܕܡܠܝܟ ܐܬܕܥܘܢ ܘܐܕܡܢ ܐܒܗ̈ܬܟܘܢ ܘܩܕܡ ܐܒܗ̈ܬܟܘܢ:
ܕܠܡܕܡ ܕܐܡܪܢ ܐܝܟ ܘܡܠܦܝܢ ܒܪܝܫܗ ܕܡܫܝܚܐ.
ܒܬܝܒܘ ܗܘ ܒܦܘܪܐ ܕܢܟܝܢܐ ܘܗܝܡ ܠܐܕܝܫܘܢ
ܘܗܕ̈ܝܢ ܬܠܡ̈ܝܕܘܗܝ ܠܡܠܦܢܘܬܢ. ܒܠ ܕܢܒܗ ܘܫܒܗ
ܘܡܫܒܚܝܢ ܘܡܘܠܡ ܕܡܫܝܚܐ. ܘܠܐ ܢܗܘܐ ܕܒܕ
ܡܢܘܢ ܠܡܘܒܠܝܢ. ܠܡܘܒܠ ܟ̈ܠܗ ܕܢܟܝܠܐ ܡܢܘܢ.
ܘܐܡܬܝܢܐ ܕܒܫܝܫܘܢ ܙܕܩ ܗܘܐ ܠܟܘܢ ܠܬܫܝܢ.
ܗܟܝܠ ܐܦ ܗܫܐ ܡܢ ܒܬܪ ܡܬ̈ܘܬܗܘܢ. ܙܕܩ
ܠܗ ܠܫܪܪܐ ܕܒܬܘܒ ܒܢܝܢܐ. ܐܕܕܗܘܢ (f. 27 *b*) ܬܘܒ
ܐܦ ܡܢ ܣܬܘܐ. ܕܡܛܝܢ ܠܡܫܟܐ ܘܠܫܘܪܐ.
ܘܠܟܝܠ ܘܠܟܘܢ: ܘܠܫܪܟܐ ܕܦܪܝܢ ܠܟܘܢ ܦܝܘܢ

[a] C. ܡܪ̈ܟܝܢ. [b] C. ܘܫܬܘܬܐ.

you have a warfare that you might demonstrate the truth of the faith which you hold. When you are silent, your modest [f. 27a] and honorable appearance joins the battle for you with those who hate truth and love falsehood. Do not strike the poor before the rich for the grievous scourging of their poverty is sufficient for them. Do not be deceived by the hateful devices of Satan that you be not stripped bare of the faith with which you are clothed.[37] [This is] because infidelity is easier than belief, just as sin is easier than righteousness. Beware, therefore, of the crucifiers and do not be friends with them, lest you be responsible with those whose hands are full of the blood of the Messiah. Know and bear witness that everything which we say and teach in regard to the Messiah is written in the book of the Prophets and is laid up with them. Their words bear witness to our teaching concerning the judgment, suffering, resurrection, and ascension of the Messiah. They do not know that when they rise up against us, they rise up against the words of the Prophets. Just as they persecuted the Prophets during their lives, so also now after their deaths they persecute the truth which is written in the Prophets [f. 27b].

"Again, beware of pagans who worship the sun and moon, Bel and Nebo, and the rest of those which they call

ܐܠܗ̈ܐ. ܟܕ ܠܘ ܐܠܗ̈ܐ ܐܢܘܢ ܒܟܝܢܗܘܢ܆ ܒܪܘܩܘ
ܗܒܠ ܡܢܗܘܢ. ܡܛܠ ܕܠܒܪܝܐ ܘܠܒܪ̈ܝܬܐ ܦܠܚܝܢ.
ܘܐܝܟ ܕܫܡܥܬܘܢ ܠܟܘܢ ܡܢ ܩܕܝܡ. ܟܠܗ ܕܐܦܠܐ
ܡܢܝ ܠܒܠܥܕܝ. ܕܠܐ ܬܘܒ ܢܫܬܥܒܕܘܢ ܘܢܬܚܫܒܘܢ
ܒܪ̈ܝܬܐ. ܡܛܠ ܕܒܪܘܝܐ ܗܘ ܕܟܠܗܘܢ ܡܢܝ.
ܘܐܡܪܬ. ܕܐܝܟܢܐ ܥܒܕ ܘܡܬܒܠܠ ܠܗܘܢ: ܘܩܘܡ ܐܝܟ
ܕܠܐ ܐܬܝܗܘܢ. ܗܘ ܓܝܪ ܢܒܝܐ ܕܒܪܐ ܐܢܝܢ ܠܒܪ̈ܝܬܐ.
ܣܓܝ ܐܝܟܢ ܠܒܢܝ̈ܢܫܐ ܡܢ ܣܢܐ ܕܫܒܩܘܬܐ ܕܒܪ̈ܝܬܐ.
ܝܕܥܝܢ ܐܢܬܘܢ ܓܝܪ. ܕܟܠ ܡܢ ܕܦܠܚ ܠܒܪ̈ܝܬܐ
ܕܟܠܗ̈ܝܢ ܒܗܝܢ ܡܠܟܝ. ܡܢܘܬܐ ܕܗܘܝܐ ܡܥܢܫ ܠܗ
ܒܓܗܢܐ. ܠܐ ܬܗܘܘܢ ܡܫܬܡܥܝܢ ܥܠ ܒܝܫܬܐ.
ܘܡܫܐܠܝܢ ܥܠ ܗ̈ܠܝܢ ܒܝ̈ܫܬܐ. ܕܟܬ̈ܝܒܢ ܒܟܬ̈ܒܐ ܩܕܝܫܐ
ܕܐܡܝܪܢ ܐܢܬܘܢ. ܠܐ ܬܗܘܘܢ ܕܝܢ ܠܩܠܝܠ ܕܢܒܝܐ.
ܐܬܕܟܪܘ ܘܚܙܘ ܕܒܪܘܝܐ ܕܐܠܗܐ ܐܡܪ̈ܝܢ. ܘܡܢ
ܕܠܢܒܝܐ ܝܗܒ. ܠܢܒܝܐ ܗܘ ܕܐܠܗܐ ܝܗܒ ܘܕܐܢ.
ܗ̇ܝ ܕܫܡܥ ܠܟܘܢ ܡܢ ܗܕܐ. ܡܛܠ ܕܐܘܪܫܠܡ (f. 28 *a*)
ܕܡܪܝܐ ܬܪ̈ܝܢ ܐܢܝܢ. ܘܙܪ̈ܥܐ ܡܫܠܡܝܢ ܒܗܝܢ
ܕܠܐ ܬܬܠܒܬܝ. ܘܡܩܘܪܐ ܡܬܚܠܡ ܒܗܝܢ. ܡܛܠ
ܕܠܝܬ ܠܗܘܢ ܚܝܠܐ ܒܗܝܬܐ ܕܒܢ̈ܝܫܐ ܒܗܡܐ. ܗܘ
ܕܠܐ ܗܘܝܐ ܥܠ ܫܘ̈ܠܛܢܐ ܕܠܝܬ ܒܗܘܢ ܘܬܪܝܢܐ.
ܐܠܐ ܐܢ ܚܘܪܢܐ. ܐܬܕܟܪܘ ܕܢܒܝܐ ܕܠܘܚܡܐ
ܕܢܒܝܐ. ܘܡܠܬ ܡܪܢ ܕܡܬܝܡܢܐ ܥܠ ܩܠܝܠܘܬܐ:
ܕܟܢܘܫܐ ܗܘ ܕܢܐ ܡܪܢܐ. ܘܟܢ ܡܬܟܝܡ ܠܟܘܢ
ܒܒܢܝܢܐ. ܡܛܠ ܗܢܐ ܐܝܟ ܐܢܫܐ ܘܐܝܟ ܬܘܬܒܐ:
ܕܢܬܝܢ ܘܡܬܕܡܝܢ ܠܒܬܪܝܗܘܢ. ܗܟܢܐ ܗܘܝܬ

gods, although by their nature they are not gods. Therefore, avoid them because they worship things that are created and made. As you formerly heard, the whole of that for which our Lord came into the world was that created things might not again be worshiped or honored. It is by a gesture of their maker that they exist. Whenever he wishes he dismisses them and causes them to cease so that they become as though they do not exist. The will which created the creatures has freed human beings from the yoke of the paganism of created things. As for everyone who worships the servants of a king along with the king, you know that death by the sword will find him in his worship.

"Do not investigate secrets nor ask concerning hidden things written in the sacred books which you possess nor be judges of the words of the Prophets. Call to mind and see that they were spoken by the Spirit of God. Whoever finds fault with the Prophets, finds fault with and judges the Spirit of God. Let this be far from you because the ways [f. 28a] of the Lord are straight, and the righteous walk in them without giving offence. But the unbelievers give offence in them because they lack the concealed eye of the hidden mind which has no need for inquiries in which there is loss rather than profit. Call to mind the threatening judgment of the Prophets and the word of our Lord which defines their words, that the Lord judges by fire and that by it all people are examined.

"Because of this, as travellers and strangers who lodge for a night and rise early to return home, so it

ܫܡܥܬܐ ܠܟܘܢ ܢܬܟܬܒܘܢ ܒܟܬܒܐ ܗܢܐ. ܕܡܢ ܗܪܟܐ
ܡܫܟܠܝܢ ܐܢܬܘܢ. ܠܐܬܪܘܬܐ ܕܐܙܠ ܒܢܐ ܕܐܝܟܢ
ܠܟܠ ܚܕ ܕܫܘܐ ܠܗܘܢ. ܡ̈ܠܟܐ ܕܐܬܪܘ̈ܬܐ.
ܫܘܠܛܢܗܘܢ ܐܝܟ ܡܕܒܪܢܘܬܗܘܢ. ܘܡܠܟܝܢ ܠܗܘܢ
ܒܝܬ ܡܕܒܪܢܐ ܠܐܘܪܚܗܘܢ܆ ܗܢܐ ܕܝܢ ܡܠܟܐ ܕܠܝܢ.
ܗܘܘ ܗܘܐ ܐܙܠ ܕܐܝܟܢ ܠܟܠܗܘܢ. ܐܘ̈ܪܚܐ ܒܪ̈ܝܬܐ
ܕܒܥܪܘܢ ܒܗܘܢ. ܠܐ ܗܘܐ ܓܝܪ ܦܪܘܣܐܝܬ ܓܒܪܐ
ܐܠܗܐ ܠܒܢܝ̈ܢܫܐ. ܐܠܐ ܕܢܗܘܘܢ ܠܗ ܦܠܚ̈ܘܕܝ
ܘܡܫܡ̈ܫܢܐ. ܗܪܟܐ ܘܬܚܝܢ ܠܟܠܢ. ܕܐܝܟ ܕܠܐ ܗ̇ܘ
ܚܙܝ ܘܠܐ ܡܫܡܫܢܘܗܝ، ܚܙܝܢ. ܡܛܠ ܗܠܝܢ ܘܐܦ
(f. 28 b) ܗ̇ܘ ܡܠܟܘܬܝ، ܕܗܘܐ ܒܟܢ ܐܢܐ ܘܪܓܝܓܐ ܐܢܐ
ܒܡܘܗܒܬܗ̇. ܐܝܟ ܥܢܝܬܐ ܕܠܠܝܐ ܗ̇ܘܐ ܫܥܒܕ
ܒܚ̈ܝܠܗܘܢ܆ ܘܐܬܕܒܪܘ ܕܒܫܡܗ ܕܒܪܝ. ܚܒܪ ܘܓܠܠ
ܡܠܟܘܬܗ ܕܕܟܝܪ ܠܒܢܝ̈ ܐܢܫܐ. ܘܦܠܚܢܐ ܕܡܫܒܠܥܐ
ܠܦܘܠܚܢܐ ܘܡܣܬܪܒ ܒܡ ܥܙ̈ܝܙܐ. ܕܢܗܘܘܢ ܕܠܐ
ܥܙ̈ܝܙܐ. ܘܐܒܕܢܐ ܕܐܒܪܐ ܕܪ̈ܚܫܐ ܐܢܫܗ ܒܠ ܫܪܟܐ
ܕܚܙܝܐ: ܐܝܟ ܗ̇ܘ ܕܫܟܪ ܠܡܠܟܘܬܗ: ܠܐ ܡܫܡܫܝܢ
ܬܪܝܢ ܫܠܝܛܐ ܡܕܒܪܢܐ. ܗܟܢܐ ܐܦ ܐܢܬܘܢ
ܕܐܬܪ̈ܘܬܘܢ ܠܡܡܠܟܘܬܐ ܗܕܐ ܕܬܫܡܫܬܐ.
ܗ̇ܘܝܬܘܢ ܘܡܢܝܢ. ܕܠܐ ܬܬܕܒܪܘܢ ܒܪܚ̈ܡܬܗ ܕܒܠܡܐ
ܗܢܐ. ܕܕܠܡܐ ܬܬܒܩܒܘܢ ܠܟܘܢ ܡܢ ܗ̇ܘ ܡܕܡ
ܕܐܬܪ̈ܘܬܘܢ ܠܗ.. ܠܬܫܒܚܐ ܘܠܕܘܒܪܐ ܕܡܠܟܘܬܝܢ
ܠܡܫܡܫܘܬܐ ܗܕܐ. ܗ̇ܘܝܬܘܢ ܚܫܝܚܝܢ ܐܢܬܘܢ
ܠܗܘܢ. ܒܕ ܠܐ ܢܣܒܝܢ ܐܢܬܘܢ ܒܬ̈ܫܒܘܚܝ ܒܡܕܡ.
ܘܐܢ ܕܝܢ ܡܫܬܠܛܝܢ ܗ̇ܘܝܬܘܢ ܚܫܝܫܝܢ ܐܢܬܘܢ

is reckoned to you yourselves in this world, that from now on you go to the places which the Son went to prepare for all who are worthy of them. As for kings of countries, their hosts go before them and prepare for them a guest chamber for their honor. As for this king of ours, however, he has gone to prepare blessed mansions[38] for his soldiers that they might dwell in them. For it was not in vain that God created people; he did it that they might worship and glorify him here and there forever, that as he does not pass away, so those who glorify him would not cease.

"Therefore, may [f. 28b] my death, with whose pain I am already bound and lying sick, be considered in your eyes as a sleep in the night. Remember that by the suffering of the Son, death which governs people has passed away and ceased. Satan causes many to sin and attacks the faithful that they might be without the truth. As the furrows before the ploughman, who has laid his hand to the ploughshare and looks back,[39] will not be considered straight, so also you, who have been called to this gift of service, be careful lest you be troubled by the affairs of this world and be hindered from that to which you have been called.

"As to rulers and judges who have attained to this faith, love them, though you should be no respecter of persons in anything. But if they go astray, rebuke

ܠܗܘܢ ܒܐܢܫܘܬ. ܕܐܢܫܘܬܗܘܢ ܬܫܡܫܘܢ ܦܪܗܣܝܐ
ܕܬܪܝܨܘܬܟܘܢ. ܘܦܠܘܢ ܠܬܟܠܘܢ. ܕܠܐ ܬܗܘܘܢ
ܗܦܘ ܡܬܕܒܪܝܢ ܒܪܘܚܝܢ ܠܡܫܬܡܥܘܢ ܗܕܐ ܕܝܢ
ܕܛܠܝܘܬܐ ܬܗܘܐ ܠܟܘܢ ܥܠ ܡܘܬܒ ܫܬܝܗܘܢ. ܕܥܠ
ܒܬܪ ܥܣܪܬܐ ܗܦܝܟܬܘܢ ܪܗܛܝܢ. ܟܕ ܡܠܝܢ ܐܢܬܘܢ
(f. 29 a) ܐܦ ܠܐܣܘܬܐ ܒܠܝܗܘܢ. ܒܗܠܝܢ ܦܘ ܓܒܪ
ܡܒܣܒܣܝܢ ܒܬܝ ܐܢܫܐ. ܫܬܝܗܘܢ ܡܕܡ ܐܠܗܐ.
ܐܘܪܝܬܐ ܕܝܢ ܘܢܒܝܐ ܘܐܘܢܓܠܝܘܢ: ܕܦܬܝܢ ܐܢܬܘܢ
ܒܗܘܢ ܒܟܠ ܝܘܡ ܡܕܡ ܒܟܐ: ܘܐܓܪܬܗ ܕܦܘܠܘܣ:
ܕܐܡܪ ܠܝ ܥܒܕܘ ܒܐܦܐ ܡܢ ܪܘܚܐ ܡܕܢܚܝܬܐ:
ܘܦܪܨܘܦܗ ܕܬܪܨܘܪ ܥܠܝܡܐ: ܕܐܡܪ ܠܝ ܡܘܫܝ ܒܪ
ܐܒܕܝ ܡܢ ܐܦܘܗ: ܠܗܘܢ ܠܗܠܝܢ ܒܬܟܒܐ. ܗܘܝܬܘܢ
ܦܪܝܫ ܒܗܘܢ ܒܟܬܒܘܗܝ ܕܡܫܝܚܐ. ܘܒܗܢ ܗܠܝܢ
ܬܘܒ ܡܕܡ ܐܚܪܢ ܠܐ ܬܦܢܘܢ. ܟܕ ܠܝܬ ܬܘܒ
ܡܕܡ ܐܚܪܝܢ ܕܬܬܒܥ ܒܗ ܥܕܪܐ ܕܐܚܝܕܝܢ ܐܢܬܘܢ
ܐܠܐ ܐܢ ܒܬܟܒܐ ܗܠܝܢ ܕܠܒܝܒܝܢ ܐܢܬܘܢ
ܒܡܫܡܠܝܘܬܐ ܗ̇ܝ ܕܐܬܬܦܪܫܬܘܢ ܠܗ̇. ܘܒܬܪ ܐܚܪܢ
ܡܠܟܐ ܘܐܚܝܘܗܝ، ܡܫܡܫܢܐ: ܕܢܥܒܕܘܢ ܡܕܡ ܕܢܛܠܠ
ܡܕܡܚܒܘܢ ܡܘܡܢܐ. ܘܦܘܫ ܕܢܗܘܘܢ ܠܗ ܗܘܕܝܐ
ܒܬܪ ܡܬܘܒ ܕܡܠܦܢܘܬܗ ܕܡܪܢ ܐܬܓܪܬ ܡܕܡ
ܥܠ ܐܢܫ ܫܦܝܪܐܝܬ. ܘܡܕܡ ܕܡ ܡܠܬܗ ܠܐ ܦܫܛ
ܒܠܒܐ. ܘܦܘܫ ܗܘܬ ܠܗ ܓܒܪ ܡܠܬܗ ܕܒܬܪܬ
ܒܗ̇: ܘܐܬܚܪܬ ܒܗ̇ ܠܡܠܐܟܐ. ܕܗܘ ܬܬܠܘܐ ܠܗ
ܒܐܘܪܚܐ ܗܕܐ ܕܢܦܩ ܐܢܐ ܒܗ̇: ܡܕܡ ܡܫܝܚܐ
ܕܥܕܪ ܒܬܪܗ. ܘܐܕܪܐ ܒܗ̇ ܠܬܘܗ. ܡܕܝܢ ܐܢܬܘܢ

them justly that you might demonstrate the boldness of your integrity and that they might amend their ways so as not again to be directed by their own will. Let this diligence be yours all the days of your lives so that you all might pursue noble things as you also counsel [f. 29a] others, for in these things people find their salvation before God.

"But as for the Law and the Prophets and the Gospel, which you read daily before the people, and the Letters of Paul, which Simon Peter sent to us from the city of Rome, and the Acts of the Twelve Apostles, which John the son of Zebedee sent to us from Ephesus, read these books in the churches of the Messiah. Do not again read with these any other since no longer is there any other in which the truth you possess is written, except these books which you hold in that faith to which you have been called.

"Our Lord King Abgar and his honorable nobles who have heard that which I have spoken to you today are sufficient to be witnesses for me after my death that the teaching of our Lord has been carefully proclaimed to all people and that I have gained nothing by his word in the world. His word by which I have become rich and made many rich has been sufficient for me, that it should lift me up in the way I walk before the Messiah. He sent for me that I should proceed in this way to him. For you know

ܒܪ ܕܐܦܪܫܬ ܠܟܘܢ. ܕܢܦܫ̈ܬܐ ܟܠܗܝܢ ܕܒܢ̈ܝܢܫܐ
ܕܢܦܩ ܡܢ ܦܓܪܐ ܗܢܐ. ܠܐ ܡܬܒܥܝܢ. ܘܫܒܝܢ ܬ̈ܠܝܢ
ܘܡܬܒܛܢ ܘܐܬܝܢ ܠܗܘܢ ܬܘܒ ܘܚܝܘܬ ܡܥܝܪܢܐ ܕܢܦܫܐ.
ܠܐ ܒܪ ܚܠܦ ܗܘܢܐ ܘܡܕܥܐ ܕܢܦܫܐ. ܡܛܠ
ܕܠܒܫܐ ܕܐܠܗܐ ܓܝܪ ܒܗ ܕܠܐ ܡܬܐܬ. ܠܐ ܗܘܐ
ܒܪ ܐܢܫ ܦܓܪܐ ܗܘ. ܕܠܐ ܙܒܢܝܐ. ܕܠܐ ܡܬܒܠܥ
ܒܫܘܠܐ ܗܘܝܐ ܕܒܪܐ ܟܠܗܘܢ. ܐܦܪܐ ܘܦܘܪܥܢܐ
ܠܐ ܡܥܒܕܐ ܡܦܟܠܐ ܡܢ ܟܠܗܘܢ. ܡܛܠ ܕܠܐ
ܗܘܐ ܕܠܗ ܗܘ ܟܠܗܘܢ ܒܟܠܐ. ܐܠܐ ܐܦ ܕܦܓܪܐ
ܕܥܢܝܐ ܗܘܬ ܒܗ. ܡܛܘܠܐ ܕܝܢ ܕܠܐܠܗܐ ܠܐ
ܡܬܒܝܢ. ܡܬܬܘܡ ܬܘܒ ܕܠܐ ܡܬܪܢܐ. ܐܢܬܘܢ
ܕܝܢ ܕܐܬܬܟܘܢ ܕܡܥܒܕܢܐ: ܕܥܒܕܗ ܡܥܒܕܢܐ ܗܘܝܢ
ܟܠܟܘܢ ܘܡܫܟܠܝܢ. ܗܘ ܬܪܝ ܠܟܘܢ ܒܐܘܪܚܐ
ܕܥܘܬܝܢܐ. ܕܬܪܘܢ ܒܗ ܘܬܬܒܟܘܢ ܘܬܪܒܘܢ.
ܠܗܘ ܡܕܡ ܕܡܠܟܝܢ ܘܝܗܒ ܠܐܠܗܝܢ ܕܠܐ ܦܠܓ ܡܢܗ:
ܘܦܨܘܢ ܐܢܫ ܕܐܬܦܢܝܘ ܗܘܘ ܡܢ ܡܢܝ. ܘܟܕ
ܗܕܐ ܡܠܬܐ ܐܡܪ ܗܘܐ. ܢܒܠܥ ܗܘܐ (f. 30 *a*)
ܠܗ ܐܕܝ ܫܠܝܚܐ ܘܫܦܝܢ. ܘܟܕ ܐܬܐ ܒܟܢܫ
ܫܪܟܐ ܕܬܠܡܝܕܐ: ܘܠܘܩܒܠ ܡܫܡܫܢܘܬܐ: ܥܡ ܫܪܟܐ
ܕܬܠܡܝܕܘܗܝ. ܘܐܡܪ ܗܘܐ ܠܗ ܠܐܕܝ ܫܠܝܚܐ. ܗܕܐ
ܗܘ ܡܫܝܚܐ ܕܫܠܚܢܝ ܠܘܬܟ: ܘܐܬܠܗܒܬ ܡܫܝܚܘܬܐ
ܫܪܟܐ: ܘܐܬܩܝܡܬ ܫܪܝܐ ܕܗܝܡܢܘܬܐ: ܕܐܒܝܕܢܐ
ܕܥܡܕܝܢ ܡܢܝ ܘܦܟܠ ܚܕ: ܘܟܕ ܗܘܐ ܟܠܗ ܕܗܘܝܬ
ܠܘܬܟ. ܡܟܝܠ ܚܙܝܬ ܟܠ ܡܘܫܐ ܫܠܝܚ. ܘܡܢ
ܗܪܟܐ ܕܒܝܫܐ ܘܕܝܪܐ: ܕܡܠܟܝܢ ܗܘܘ ܠܗܘܢ

that which I said to you, that the souls of all people which depart from this body do not die but live and rise and have mansions and a dwelling place of rest. The mind and intellect of the soul do not perish, because the image of God is depicted in it without dying. It is unlike the body which is without perception and unaware of the hateful corruption within it. It cannot receive reward and punishment alone because the labor was not its alone but also that of the body in which it resided. So rebels, who do not know God, repent in vain. But as for you who belong to the Messiah, whose glorious name has been placed upon and reigns over you, he will direct you in the right way that you might journey in it and arrive and go on to that which is promised and kept for those who do not turn aside from him, but remain just as they were called by our Lord."

When Addai the Apostle had said this he ceased [f. 30a] and was silent. Then Aggai, the royal silk-weaver, Palut, and Abshelama, together with the rest of their companions, answered and said to Addai the Apostle: "The Messiah himself, who sent you to us, bears witness that you have taught us the true faith and have caused us to acquire a true salvation. As we have heard and received from you throughout the time you have been with us, so we will continue all the days of our lives. We will flee from the worship of things made and created which our fathers worshiped.[40]

ܐܚ̈ܘܗܝ ܒܪܘܚܢ ܚܕ. ܘܒܬܪ ܫܘܕܥܐ ܘܩܘܦܣܝ ܠܐ
ܡܬܚܠܛܝܢ. ܘܝܪܬܘܬܐ ܗܕܐ ܕܦܠܓܝܢ ܡܢܟ ܠܐ
ܡܢܗܘܢ ܚܕ. ܘܟܕ ܗ̇ܘ ܢܦܩ ܚܕ ܡܢ ܥܠܡܐ ܗܢܐ.
ܘܒܗܘܢ ܕܒܢ̈ܝ ܡܕܡ ܒܝܬ ܕܢܫܐ[a] ܕܒܐܝܬܘܬܐ.
ܬܘܒ ܢܦܠܐ ܠܝ ܝܪܬܘܬܐ ܗܕܐ ܐܝܟ ܕܐܡܪܬ ܠܝ. ܘܟܕ
ܐܬܐܡܪ ܗ̈ܘ ܗ̇ܢܝܢ ܗܠܝܢ. ܡܢ ܗܘܐ ܐܡܪ ܡܥܠܡܐ
ܘܩܪ̈ܝܒܘܗܝ. ܘܚܐܪ̈ܐ[b] ܒܠܚܘܕ ܕܡܠܟܘܬܗ. ܘܐܙܠ
ܗܘܐ ܠܐܦܕܢܐ ܕܠܗ. ܟܕ ܡܚܫܒ ܗܘܐ ܒܠܒܗ
ܒܠܚܘܕ. ܕܡܟܐܬ ܗܘܐ. ܘܡܕܝܪ ܗܘܐ ܠܗ ܠܒܢ̈ܝܐ
ܡܫܡܝܐ ܘܐܪ̈ܥܐ. ܕܠܬܡܢ ܗܘܐ ܒܗܘܢ. ܘܟܕ ܒܢܐ
ܐܢܘܢ ܐܕܒ (f. 30 *b*) ܥܠܝܗ ܠܗ. ܕܠܐ ܒܢ̈ܝܢ ܥܩܠܬ
ܡܢܟ ܡܕܡ.[c] ܘܠܐ ܡܬܕܟܠ ܐܢܐ ܒܝ ܡܠܬܗ
ܕܡܫܝܚܐ ܕܐܡܪ ܠܢ. ܕܠܐ ܬܣܒܘܢ ܡܢ ܐܢܫ ܡܕܡ.
ܘܠܐ ܬܒܥܘܢ ܡܕܡ ܡܥܠܡܐ ܗܢܐ. ܘܡܢ ܒܬܪ ܬܠܬܐ
ܝܘܡܝܢ ܫܢ̈ܝܢ:[d] ܕܐܬܐܡܪ ܗ̈ܘ ܗ̇ܢܝܢ ܗܠܝܢ ܡܢ ܐܒܘ
ܥܠܝܗܐ: ܘܥܒܕ ܗܘܐ ܘܦܠܓ ܗܕܐ ܝܪܬܘܬܐ ܕܡܠܟܘܬܐ
ܕܪܘܪܒܘܬܗ ܡܢ ܒ̈ܢܝ ܬܫܡܫܬܗ. ܡܕܡ ܚܐܪ̈ܐ ܒܠܚܘܕ
ܢܦܩ ܗܘܐ ܠܗ ܡܢ ܥܠܡܐ ܗܢܐ. ܘܐܢܬܬܗ ܗܘܐ
ܫܟܝܒ ܫܡܥܐ ܒܥܒܐ. ܒܐܪ̈ܥܬܐ ܒܐܬܪ[e] ܢܫܐ.
ܘܟܐܠܠ ܙܒܢܐ ܘܒܫܢܬܐ ܡܪܘܪܐ ܗܘܬ ܒܠܗܘܢ ܟܠܗ

[a] C. ܕܕܝܢܐ.

[b] C. only ܘܚܐܪ̈ܘܗܝ.

[c] C. adds ܐܦܠܐ ܗ̈ܟܢܐ ܒܫܡܬܝ, ܫܐܠ ܐܢܐ ܡܢܟ ܡܕܡ.

[d] C. ܐܫ̈ܝܢܐ.

[e] C. ܒܐܬܪܗ ܐܬܪ.

Moreover, we will not take part with the crucifying Jews. We will not desert the inheritance we have received from you but will go forth with it from this world. In the day of our Lord, before the tribunal of the righteous judge, he will return this inheritance to us as you have told us."

When these things had been spoken, King Abgar arose and went into his palace with all his princes and nobles of his kingdom, all of whom were distressed concerning him [Addai] because he was dying. Then he sent to him excellent and choice garments in which he might be buried. But when Addai saw them [f. 30b] he sent to him [saying]: "During my life I took nothing from you; I will not deny in myself the word of the Messiah who said to me: 'Take nothing from any man, and acquire nothing in this world.'"

Three days later, after these things had been spoken by Addai the Apostle and he had heard and received testimony of the teaching of his preaching from those belonging to his ministry, he went forth from this world before all the nobles. It was the fifth day of the week, the fourteenth of May.[41] All the city was in great lamentation and bitter sorrow over him.

ܡܕܝܢܬܐ. ܠܐ ܗܘܐ ܕܝܢ ܒܪ̈ܘܚܢܝܐ ܒܠܚܘܕ ܡܚܡܝܢ
ܗܘܐ ܒܠܗܘܢ. ܐܠܐ ܐܦ ܦܘ̈ܪܣܝܗ̇ ܘܫܘܦܪܐ ܕܐܝܬ
ܗܘܐ ܒܗ ܒܒܪܬܐ ܗܢܐ. ܐܝܟܢ ܕܝܢ ܡܠܟܗ̇. ܝܬܝܪ
ܡܢ ܟܠ ܐܢܫ ܡܟܡ ܗܘܐ ܒܠܗܘܢ. ܗ̇ܝ ܘܪ̈ܘܪܒܢܐ
ܕܡܠܟܘܬܗ.. ܘܒܪܝܘܬܐ ܕܪܚܡܝܗ̇. ܥܛ ܗܘܐ̇
ܘܥܡܗ ܠܐܣܛܪܐ ܕܡܠܟܘܬܗ ܒܫܘ ܫܘܡܐ. ܘܒܕ̈ܡܘܬܐ
ܫܦܝܪܬܐ ܚܙܝܐ ܗܘܐ ܠܗ ܡܢ ܟܠ ܐܢܫ. ܘܒܡܠܐ
ܟܠܗ ܕܡܕܝܢܬܐ ܕܒܪܐ ܗܘܐ ܠܗ̇. ܡܬܕܡܪ ܗܘܐ
ܒܗ̇ ܕܒܡܠܐ ܣܓܝܫ (f. 31 *a*) ܗܘܐ ܒܠܗܘܢ.
ܘܒܐܣܛܪܐ ܪܒܐ ܘܡܥܝܪܬܐ. ܐܝܟ ܗܘܐ ܘܡܒܪܬܐ.
ܐܝܟ ܣܓܝ ܡܢ ܪ̈ܘܪܒܢܐ ܡܟܐ ܕܡܬܟ̈ܢܫܬ ܗܘܐ. ܘܡܫܡܫ
ܗܘܐ ܒܡܕܒܪܐ ܪܒܐ ܕܬ̈ܠܦܐ ܕܡܣ̈ܟܬܐ.[a] ܗ̇ܘ ܐܝܟܐ
ܕܦܝܫܝܢ ܗܘܘ ܒܗ ܕܒܝܬ ܐܪܥܐ. ܐܟܘܬ̈ܗܬܐ ܕܐܒܗܘܗܝ,[b]
ܕܐܝܟܢ ܡܠܟܐ. ܬܡܢ ܗܘܘ ܗܘܐ ܣܓܝܐܐܝܬ.
ܒܪ̈ܝܘܬܗ ܘܒܟܡܘܬܐ ܪܒܬܐ. ܘܒܫܟܐ ܒܗܠܗ
ܕܒܝܬܗ̇. ܐܙܠ ܗܘܐ ܡܢ ܒܝܬܐ ܠܒܝܬܐ. ܘܫܠܝܐ
ܗܘܐ ܬܡܢ ܣܓܝܐܐܝܬ. ܘܕܒܪܢܐ ܕܒܗܕܝܢܗ[c]
ܒܒܝܬ ܗܘܐ ܡܢ ܥܢܝܐ ܠܥܢܝܐ. ܐܝܟ ܦܘܩܕܢܐ
ܘܡܠܦܢܐ ܕܡܫܒܚ ܗܘܐ ܠܗܘܢ ܡܫܝܚ ܕܐܡܪ، ܥܠܝܟܘܢ.
ܘܐܝܟ ܡܠܬܗ ܕܐܡܪ. ܕܗܘ ܗܘܐ ܡܕܒܪܢܐ ܘܦܩܘܕܐ
ܘܢܬܪܬܐ ܕܒܦܘܪܣܗ ܡܢ ܟܬܪܗ: ܒܐܝܕܐ ܕܒܫܝܢܘܬܐ
ܕܦܟܠ ܗܘܐ ܡܫܝܚ ܘܡܢ ܟܠ ܐܢܫ. ܘܐܦ ܗ̇ܘ ܒܗ
ܒܐܝܕܐ ܕܦܟܠ ܗܘܐ ܡܫܝܚ. ܒܒ̇ܪ ܗܘܐ ܒܫ̈ܝܢܐ

[a] C. ܕܡܣ̈ܟܬܐ. [b] C. ܐܟܘ̈ܬܗܐ ܕܐܒܗܘܗܝ. [c] C. ܕܒܗܕܝܢܗ.

Nor were they Christians alone who grieved over him but Jews and pagans who were in the city as well. But King Abgar, more than anybody, grieved over him, along with the princes of his kingdom. In the distress of his mind he treated with contempt and abandoned the honor of his royalty in that day. With tears of sorrow he wept over him with everyone. All the people of the city who saw him marvelled at how much he suffered [f. 31a] over him. With great and excellent honor he bore him in state and buried him like one of the princes when he dies. He placed him in a great sepulchre of adorned sculpture, the one in which those of the house of Ariu, the ancestors of King Abgar's father, were laid. There he laid him sorrowfully with sadness and great distress. On occasion all the people of the church would go and pray there earnestly. They also performed a yearly memorial to his memory according to the ordinance and instruction which had been received by them from Addai the Apostle and according to the word of Aggai who was the leader, ruler, and appointed successor to the see after him, by the ordination to the priesthood which he received before all people. By the same ordination which he received from him he also made priests

ܘܡܕܒ̈ܪܢܐ. ܒܟܠܗ ܐܬܪ̈ܘܬܐ ܗܘܐ ܕܒܝܬ ܢܗܪܝܢ. ܘܐܦ
ܦܘܠܘܣ ܒܪ ܐܚܘܬܗ ܕܠܗ[a] ܕܐܕܝ, ܥܠܝܗܝ. ܗܟܢܐ
ܐܚܝܕܝܢ ܗܘܘ ܡܠܬܗ: ܘܡܫܬܡܥܝܢ ܗܘܘ ܘܡܬܟܠܝܢ.
ܐܝܟ ܐܢ̈ܬܬܐ ܠܓܒܪܐ[b] ܘܡܫܡܫܢܐ ܕܥܠܝܡܘܬܗ (f. 31 b)
ܕܡܥܒܕܢܐ ܗܘܝܢܐ. ܒܟܣܦܐ ܕܝܢ ܘܕܗܒܐ ܡܢ ܐܢܫ
ܠܐ ܢܣܒ ܗܘܐ. ܘܡܫܡ̈ܫܘܬܐ ܕܥܒܕ̈ܢܝܐ ܠܐ ܡܩ̈ܒܠ
ܗ̈ܘܝ ܐܕܝܘܗܝ, ܣܠܩ ܓܒܪ ܕܗܘܐ ܘܐܡܬܐ. ܒܡܥ̈ܒܕܬܐ
ܕܡ̈ܗܝܡܢܐ ܡܟܬܪ ܗܘܐ ܠܗ̇[c] ܠܟܕܬܗ ܕܡܥܒܕܢܐ.
ܦܢܝܐ ܕܝܢ ܒܟܠܗ ܕܓܕ̈ܪܐ ܘܕܢ̈ܚܬܐ. ܢܦܩܝܢ ܗܘܘ ܘܪܗܛܝܢ.
ܘܡܕܒܪܝܢ ܗܘܘ ܘܕܓܢܝܢ ܘܡܫܟܚܬ[d] ܘܡܦܨܝܬ ܒܡܟܪܝܢ
ܗܘܘ ܕܠܐ ܦܠܓܘܬܐ. ܒܫܪܘܬܐ ܕܬܫܒܘܚܬܐ ܘܗܝܡܢܘܬ.
ܒܥܡܠ ܓܘܫܡܗܘܢ ܕܠܘܬ ܡܫܡ̈ܫܢܐ. ܒܫܘܒܚܗܘܢ
ܕܠܘܬ ܒܪ̈ܝܬܐ. ܘ̈ܠܕܬܗܘܢ ܒܪ ܥܘܒܕܐ ܒ̈ܢܝܢ ܗ̈ܘܝ
ܡܢ ܫܪܝܐ. ܘܕܘܒܪ̈ܝܗܘܢ ܬܫܒܘܚܬܐ ܠܐܠܗܐ ܗܘܘ
ܡܢ ܢܘܒ̈ܪܐ. ܐܝܟܢܐ ܕܐܦ ܒܡܕ̈ܒܪܐ ܕܒܝܬ ܢܒܘ
ܘܒܝܠ. ܐܝܡܬܝ ܠܗܘܢ ܦܠܚܝܢ ܗܘܘ ܒܠ ܒܪ̈ܝ.
ܒܫܪܬܗܘܢ ܡܫܝܢܐ. ܒܫܠܡܗܘܢ ܫܪܝܪܐ.
ܒܦܪܗܣܝܐ ܕܐܝܬ ܗܘܐ ܠܐܕܝܗܘܢ.[e] ܘܒܐܘܪܚܬܗܘܢ
ܕܫܠܝܚܘܬܐ ܠܐ ܒܛܝܠܐ ܗܘܬ. ܘܬܫܒܘܚܬ ܒܕܠܝܐ ܠܐ
ܫܒܝܩܐ ܗܘܬ. ܟܠ ܟܡ ܒܪ ܕܢܫܐ ܗܘܐ ܠܗܘܢ.
ܠܐܘܪܚܗܘܢ ܪܘܚܐ ܗܘܐ[f] ܕܢܬܒܐܠ ܗܘܐ ܥܠܝܗܘܢ.

[a] C. omits ܕܠܗ.   [b] C. ܠܓܒ̈ܪܐ ܐܢ̈ܬܬܐ.   [c] MS. ܠܗ.

[d] C. ܕܐܫܬܟܚܬ.   [e] C. omits ܠܐܕܝܗܘܢ.

[f] C. ܠܐܘܪܚܗܘܢ ܪܘܚܐ ܗܘܐ ܕܠܐ ܐܝܟ ܕܐܢܫܐ.

and leaders in all the district of Mesopotamia. Like the Apostle Addai, they held to his word, listening and receiving, as good and faithful heirs, from the Apostle [f. 31b] of the august Messiah. He did not receive silver and gold from anybody nor did gifts of princes approach him. For in the place of gold and silver he enriched the church of the Messiah with the souls of the faithful.

As for the manner of life of all the men and women, they were modest, honorable, holy, and pure; apart from defilement they lived in solitude, modesty, honorably in diligent service, relieving the burden of the poor, and visiting the sick. Their ways were full of praise from those who saw, and their manner of life was arrayed with honor from strangers, so that even the priests of the temple of Nebo and Bel continuously divided honor with them by their honorable appearance, by their truthful speech, by the boldness which they had, and by their freedom which was unyoked to avarice nor considered to be under accusation. Whenever one saw them he hastened to meet them that he might honorably inquire into their welfare

ܡܨܪܐܝܬ. ܡܛܠ ܕܐܦ ܗܘ ܚܫܝܫܘܬܗܘܢ (f. 32 a) ܥܠܡܐ
ܦܪܘܣܐ ܗܘܬ ܥܠ ܫܪܪܐ. ܒܕܘܒܪܘܬ ܡܫܝܚܝܘܬܐ ܟܢܫ
ܦܩܝܕܝܢ ܗܘܘ ܡܠܟܝܗܘܢ ܕܥܡܡܐ ܥܠ ܡܫܝܚܝܐ. ܒܗ
ܒܐܝܠܝܢ ܗܘܘ ܠܗܘܢ ܡܢ ܦܠܓܐ ܕܡܠܟܘܬܐ ܘܕܦܪܣܝܐ. ܠܝܬ
ܗܘܐ ܕܝܢ ܕܢܣܒ ܗܘܐ ܠܗܘܢ ܘܚܙܘ ܗܘܐ ܡܢܝܗܘܢ.
ܒܕܠܐ ܦܘܪܩܢ ܗܘܘ ܡܕܡ ܕܠܐ ܒܕܘܟܐ ܘܕܠܐ
ܒܥܠܝܠܬܐ. ܘܒܝܫ ܗܠܝܢ. ܓܠܝܢ ܗܘܘ ܐܦܝܗܘܢ
ܒܦܪܘܣܬܐ ܕܡܠܟܘܬܗܘܢ ܝܕܥ ܟܠܢܫ. ܗܘ ܓܝܪ ܡܕܡ
ܕܐܡܪܝܢ ܗܘܘ ܠܐܚܪܢܐ ܘܡܪܝܬܝܢ ܠܗܘܢ: ܗܝܕܝܢ
ܒܟܬܒܐ ܚܫܘܟ ܗܘܘ ܠܗ ܒܡܘܫܚܬܗܘܢ.[a] ܘܡܫܝܚܝܐ
ܕܫܘܝܢ ܗܘܘ: ܕܒܡ ܟܠܗܘܢ ܟܬܒܝܗܘܢ ܕܠܐ ܦܫܛ.
ܦܚܡܐ ܡܬܬܠܡܕܝܢ ܗܘܘ ܠܗܘܢ. ܘܒܡܠܟܐ
ܡܫܝܚܝܐ ܡܒܕܝܢ ܗܘܘ. ܒܗ ܡܫܒܚܝܢ ܗܘܘ
ܠܐܠܗܐ. ܕܐܦܝܢ ܐܢܘܢ ܠܗܬܘܢ. ܘܡܢ ܒܬܪ
ܙܒܢܐ ܕܡܘܬܗ ܕܐܒܓܪ ܡܠܟܐ. ܩܡ ܗܘܐ ܚܕ ܡܢ
ܒܢܘܗܝ ܡܫܝܚܝܐ ܕܠܐ ܡܬܦܝܣ ܗܘܐ ܠܫܪܪܐ.[b] ܘܫܕܪ
ܠܗ ܠܐܕܝ ܒܗ ܝܬܒ ܗܘܐ ܒܒܝܬܐ. ܕܒܢܐ ܠܗ
ܫܘܪܐ ܕܐܘܪܗܝ. ܐܝܟ ܡܐ ܕܒܢܐ ܗܘܬ ܠܐܒܘܗܝ ܡܢ
ܩܕܡ. ܫܠܚ ܠܗ ܐܡܪ. ܕܠܐ ܡܪܦܐ ܐܢܐ ܬܫܡܫܬܗ
ܕܡܫܝܚܐ (f. 32 b) ܕܐܬܟܠܬ ܠܝ ܡܢ ܬܠܡܝܕܗ
ܕܡܫܝܚܐ. ܘܒܢܐ ܐܢܐ ܫܘܪܐ ܕܒܝܬܗܬܐ.[c] ܘܟܕ ܝܕܥ
ܗܘܐ ܕܠܐ ܡܬܦܝܣ ܠܗ. ܫܕܪ ܗܘܐ ܬܒܪ
ܥܒܗܘܢ. ܒܗ ܝܬܒ ܗܘܐ ܒܒܝܬܐ ܘܡܬܬܪܟܡ. ܘܟܕ

[a] C. ܒܡܘܫܚܬܗܘܢ. [b] C. ܠܫܠܝܚܐ. [c] C. ܫܘܪܐ ܕܒܝܬܡܫܬܐ.

because the very sight of them [f. 32a] spread peace to those who beheld. Their words of peace spread out like nets over the rebellious as they entered into the fold of justice and truth. None who saw them was ashamed of them, because they did nothing unjust or unseemly. Because of this they had no need to be ashamed at the proclamation of their teaching to all people. For that which they said to others and admonished them to do, they showed by deeds the same thing in their own persons. As for those under instruction who saw that their deeds went with their words, many became their disciples without persuasion and confessed the Messiah as king, glorifying God who turned them unto him.

Some years after the death of King Abgar, one of his rebellious sons, who was disobedient to the truth, arose and sent to Aggai, who was presiding over the church [as follows]: "Make for me tiaras of gold as you formerly made for my fathers." Aggai sent in reply: "I will not leave the ministry of the Messiah [f. 32b] which was entrusted to me by the disciple of the Messiah, and make tiaras of evil." When he saw that he was disobedient to him he went and broke his legs as he was presiding in the church and preaching. As

ܡܟܐܬ̣. ܐܡܝܢ ܗܘܐ ܠܥܠܡ ܘܠܥܠܡܥܠܡܝ̈ܢ. ܕܒܒܢܬܐ
ܗܢܐ ܕܡܛܠ ܫܡܗ[a] ܗܘܐ ܡܟܐܬ ܐܢܐ̇. ܒܗ ܡܫܡܫܝܢ
ܘܡܫܒܚܝܢ.[b] ܘܐܝܟ ܕܐܘܡܢ ܗܘܐ̇. ܗܟܢܐ ܗܘܐ ܡܫܡܫܗ̇
ܗܘܘ. ܠܟܘ ܡܢ ܬܪܥܐ ܓܘܝܐ ܕܒܝܬܐ. ܒܝܬ
ܒܪ̈ܝܐ ܠܒ̈ܢܐ. ܘܗ̣ܘܐ ܗܘܐ ܐܟܠܐ ܪܒܐ ܘܡܫܪܪܐ̇.
ܒܒܥܠܗ̇ ܒܒܝܬܐ̇ ܘܒܥܠܗ̇ ܡܒܢܝܬܐ. ܟܠ ܣܓܝ ܕܐܟܠܐ
ܕܗܘ̣ܐ ܒܟܘܦ̇. ܐܝܟ ܕܗܘ̣ܐ ܗܘܐ ܐܟܠܐ ܒܗ
ܡܢܬ ܐܢܐ̇. ܥܠܝܡܐ. ܘܡܛܠ ܕܒܗ ܬܘܒܪܐ ܕܢܦ̈ܫܗ
ܡܢܬ ܗܘܐ ܠܗ ܪ̈ܗܒܐܝܬ ܘܡܣܪܗܒܐܝܬ̇. ܠܐ
ܐܫܟܚ ܗܘܐ ܕܢܣܒ ܐܢܐ ܟܠ ܦܠܓ. ܐܝܠ ܗܘܐ
ܗ̣ܘ ܦܠܓ ܠܐܟܣܢܕܘܟܝܢ. ܘܦ̇ܠܓ ܗܘܐ ܐܢܐ
ܕܡܕܝܢܬܐ̇. ܡܢ ܦܪܝܣܢ ܐܦܣܩܘܦܐ ܕܐܟܣܢܕܘܟܝܢ. ܗ̇ܘ
ܕܐܦ ܗ̣ܘ ܦܪܝܣܢ ܐܦܣܩܘܦܐ ܕܐܟܣܢܕܘܟܝܢ.
ܡܫܡܠܐ ܗܘܬ ܠܗ ܐܢܐ̇. ܡܢ ܦܪܝܣܘܣ ܐܦܣܩܘܦܐ
ܕܐܟܣܢܕܘܟܝܐ[c] ܒܡܕܝܢܬܐ. ܡܢ ܡܫܒܠܐ (f. 33 *a*) ܕܐܢܐܢܐ
ܕܡܕܝܢܬܐ ܕܥܡܗܘܢ ܒܐܦ̈ܐ. ܗ̇ܘ ܕܦ̇ܠܓ ܗܘܐ ܡܢ
ܡܢ̈ܝܢ. ܕܗ̣ܘܐ ܗܘܐ ܬܡܢ ܐܦܣܩܘܦܐ ܒܪܗܘܡܐ
ܒܫܪ̈ܝ ܘܫܒܥ ܫ̈ܢܝܢ. ܒܝܘ̈ܡܝ ܡܫܪ̈. ܗ̇ܘ ܕܐܡܠܟ
ܗܘܐ ܬܡܢ ܬܠܬܡܫܪܐ ܫܢ̈ܝܢ.. ܘܐܟܢܫܐ ܕܐܢܬ
ܒܢܝܐ ܒܡܠܟܘܬܗ ܕܐܒܓܪ ܡܠܟܐ ܘܒܬܠ ܫ̈ܠܡܐ:[d]
ܘܟܠܗ ܡܕܡ ܕܡܬܐܒܪ ܡܢܗܘܢ: ܡܬܬܚܬ
ܘܡܬܛܫܐ ܒܝܬ ܒܗܘܢܝ̇. ܗܟܢܐ ܐܦ ܠܦܘܒܝܐ

[a] C. ܗܪ̈ܝܫ. [b] C. ܘܡܫܒܚܝܢ. [c] C. rightly ܕܗܪܗܘܡܐ.
[d] C. adds ܕܒܠܡܕܢܡ ܕܦܡܕ ܡܠܟܐ.

he died, he adjured Palut and Abshelama: "Lay me and bury me in this house for whose name I now die." So as he had adjured them they laid him within the middle entrance of the church, between the men and women. There was great and bitter sorrow in all the church and in all the city, beyond the pain of sorrow which had been in it, like the sorrow which was when the Apostle Addai died.

Because he died speedily and rapidly at the breaking of his legs he was unable to lay his hand upon Palut. Palut himself went to Antioch and received ordination to the priesthood from Serapion, Bishop of Antioch. Serapion himself, Bishop of Antioch, had also received ordination from Zephyrinus, Bishop of the city of Rome[42] from the succession [f. 33a] of ordination to the priesthood of Simon Peter who received it from our Lord, and who had been Bishop there in Rome twenty-five years in the days of Caesar who reigned there thirteen years.

As is the custom in the kingdom of King Abgar and in all kingdoms,[43] everything which is said before him is written and placed among the records. Labubna,

ܒܪ ܣܢܩ ܒܪ ܥܒܫܕܪ[a] ܣܦܪܐ ܕܡܠܟܐ. ܟܬܒ ܗܘܐ
ܗܢܝܢ ܡܠܝܢ ܕܐܕܝ ܫܠܝܚܐ. ܡܢ ܫܘܪܝܗ̇ ܠܫܘܠܡܗ̇. ܒܗ
ܪܫܡܐ ܗܘܐ ܐܝܕܐ ܕܣܗܕܘܬܐ. ܐܦ ܚܢܢ ܛܒܘܠܪܐ
ܫܪܝܪܐ ܕܡܠܟܐ. ܘܣܡ ܗܘܐ ܒܝܬ ܥܘܗ̈ܕܢܐ ܕܡܠ̈ܟܐ[b]
ܕܡܠ̈ܟܐ. ܐܝܟܐ ܕܦܘܩ̈ܕܢܐ ܘܢܡ̈ܘܣܐ ܣܝܡܝܢ. ܘܕܙܒܢܝܢ
ܘܕܡܙܒܢܝܢ ܬܡܢ ܢܛܝܪܝܢ. ܒܙܗܝܪܘܬܐ ܕܠܐ ܒܘܣܝܐ
ܡܕܡ .o. oo oo

ܫܠܡܬ ܡܠܦܢܘܬܐ ܕܐܕܝ ܫܠܝܚܐ.

[a] C. ܥܒܕ ܫܕܝ.

[b] C. omits ܕܡܠ̈ܟܐ.

the son of Senaq the son of Abshadar, the scribe of the king, therefore, wrote the things concerning the Apostle Addai from the beginning to the end, while Hanan, the faithful archivist of the king, set the hand of witness and placed it among the records of the royal books, where the statutes and ordinances are placed. The matters belonging to those who buy and sell are also kept there with care and concern.

The end of the Teaching of the Apostle Addai.

FOOTNOTES

[1]F. C. Burkitt ["Tatian's Diatessaron and the Dutch Harmonies," *JTS* 25-26 (1923-25) 130] identifies him with Tatian.

[2]Syriac: Urhai.

[3]The reference is to the Seleucid era which began 311 B.C. The date given here = A.D. 31-32.

[4]A.D. 14-37.

[5]Syriac: The first Tishri.

[6]The Black.

[7]A village of Palestine c. 40 klm. S.W. of Jerusalem.

[8]Syriac: Adar.

[9]Syriac: Nisan.

[10]John 20:29.

[11]Luke 10:1.

[12]The Syriac ܚܝܐ may mean either "life" or "salvation."

[13]Cureton's first ms. begins at this point.

[14]Cureton's ms. breaks off here.

[15] [illegible] is a typographical error for [illegible]. See errata at the end of the book.

[16]Cureton's comment at this point (p. 11 n.a) is: "A leaf is missing in the MS. after fol. 7. It must have been lost at an early date, and its place is now supplied by a rudely written leaf of the twelfth or thirteenth century. It fills the gap in the Syriac text, caused by the loss of the original. This leaf, having become loose, has been bound as fol. 54 of the MS., in the middle of the Acts of St. John at Ephesus. . .; moreover, it has been reversed in binding, so that what is really the *recto* now appears as the *verso*." For a more lengthy discussion of this irregularity see William Wright, *Apocryphal Acts of the Apostles* (Amsterdam: Philadelphia Press, r.p. 1968) vii-viii.

[17]Reading the masculine suffix instead of the feminine.

[18]Cf. Acts 18:2; Suetonius, *Claudius* 25.

[19]Cf. Isaiah 48:16.

[20]Cureton's second ms. picks up the text at this point.

[21]Cureton's text breaks off here.

[22]The Syriac is unclear.

[23]Reading the masculine suffix instead of the feminine.

[24]Cureton's text picks up at this point.

[25]Matt. 10:14, Mark 6:11, Luke 9:5, 10:11.

[26]Cureton's text breaks off here.

[27]Cureton's text picks up at this point.

[28]Matt. 23:38, Luke 13:35.

[29]John 20:29.

[30]Matt. 10:14, Mark 6:11, Luke 9:5, 10:11.

[31]Or: "white garments" (if [Syriac] is read).

[32]This follows Cureton's text: [Syriac] Phillips' ms. is apparently corrupt at this point.

[33]Reading [Syriac] with Cureton.

[34]Or: "water" (if Cureton's text is read: [Syriac]).

[35]Reading singular [Syriac] with Cureton.

[36]Matt. 18:10.

[37]Cureton's text breaks off at this point.

[38]John 14:2.

[39]Luke 9:62.

[40]Cureton's text picks up here.

[41]Syriac: Iyor--approximately equivalent to May.

[42]So according to Cureton's text. Phillips' text reads "Antioch."

[43]Cureton's text adds here: "everything which the king commands."

SELECTED VARIANT READINGS FROM CURETON'S MANUSCRIPTS

Page	Line	
14	5	ܕܗܘ ܛܒ
	5	ܒܗ ܗܘܟܠ
	20	ܐܢܫܐ
	21	Omit ܐܠܝܢ[1]
16	5	Omit ܘܠܐ ܫܠܝܛ ܥܡܡܐ
	9	ܐܝܬ ܗܘܐ
	11	ܘܚܠ ܗܘܐ
	17	Omit ܠܗ
	20	Omit ܕܗܘܐ
	21	ܡܢ
18	16	ܕܒܛܠ
	17	ܒܛܠ
	19	ܐܠܗܐ ܡܫܝܚܐ
	22	ܕܡܠܬܐ ܘܐܬܐ ܗܘܐ
20	18	ܘܒܫܡܫܐ instead of ܘܒܫܡܐ . This is a misprint in Phillips' edition according to errata.
42	9	Omit ܗܘܐ
	16	ܘܗܢܐ
	19	ܦܠܘܣ
46	3	ܬܠܬܐ
52	14	ܒܗܘ
	18	ܒܗܘ

Page	Line	
54	6	ܒܪܢܫܐ ܗܘ
	7	ܕܠܥܠܡ ܘܠܥܠܡ
	8	Omit ܗܘܐ
	12	ܕܟܠ instead of ܪܒܐ
	15	ܕܒܝܬ ܗܘܐ
	21	ܡܢܗ
	22	ܗܘܐ instead of ܗܘ
56	10	ܐܬܝܠܕܘ ܗܘܐ ܠܐܪܥܐ instead of ܠܐܪܥܐ ܐܬܝܠܕܘ ܗܘܐ
	23	ܫܕܪܘܢ
58	4	Omit ܗܘ
	6	Omit ܟܠ
	19-20	ܘܫܪܝܠܝܢ ܘܡܫܡܠܝܢ instead of ܕܡܫܡܠܝܢ ܘܫܪܝܠܝܢ
62	22	Phillips' note "f" should read: "C omits ܠܐܪ ܥܠܡܐ"
64	13	ܕܡܫܒܚܬܐ
	17	ܗܘܐ instead of ܗܘܝܐ
66	2	ܠܒܪܗ ܡܢ ܠܒܪܗ
	11	ܡܩܒܠܝܢ instead of ܡܩܒܠܝܢ
	13	ܘܗܘ instead of ܐܝܟ
	13	ܘܠܒܢܝܢ
	14	Omit ܠܐܪ
	15	Omit ܠܗܘܢ
	16	ܘܐܬܒܢܝ ܠܗܘܢ
	17	ܗܘܝܠܢ instead of ܐܝܠܢ

Page	Line	
68	6	ܕܠܗܘܢ
	19	ܐܦ ܠܐ instead of ܘܠܐ
70	6	ܘܒܪ ܡܠܟܘܬܐ instead of ܘܒܡܠܟܘܬܐ
	12	ܡܫܡܠܝܬܗܘܢ
72	16	ܦܫܝܢ
	16	Omit ܗܘܘ
	16	ܠܓ̈ܠܘܬܐ. ܠܓ̈ܠܘܐ is a misprint in Phillips' text according to errata.
	22	ܐܙܕܗܘܢ
74	3	ܕܬܪ̈ܥܐ
	5	ܗܘܐ ܗܘ
	6	ܛܝܒܗ
	8	ܒܟܣܦܐ ܐܠܦ instead of ܐܠܦ ܒܟܣܦܐ
	11	ܕܒܝܢ ܗܘܐ
	14	ܕܒܝܢ ܗܘܐ
	15	Omit ܠܗ
	22	ܕܢܦܫܗ
	22	Omit ܗܘܐ
76	7	ܠܚܘܫܒܐ ܕܠܐ ܡܫܡܠܝܘܬܐ ܕܛܥܝܘܬܐ instead of ܕܠܐ ܡܫܡܠܝܘܬܐ ܕܛܥܝܘܬܐ ܠܚܘܫܒܐ
	10	Omit ܗܘܐ
	11	ܫܡܥ ܗܘܐ
	11	ܘܪܢܐ ܗܘܐ ܐܦ ܐܪܢܐ
	12	ܘܕܠܐ ܡܠܟܗܘܢ
	13-14	ܒܪ̈ܝܬܐ ܘܡܠܟܘܬܗ ܕܒܪ̈ܝܬܐ
	19	ܐܦ
	21	ܠܡܠܟܗܘܢ ܕܡܠܟܗܘܢ

Page	Line	
78	4	ܡܕܢܚ
	9	ܠܗܘܢ
	9	ܕܚܠܦ
	11	ܕܢ ܥܠ ܐܪܥܠ
	16	Omit ܗܘܐ[2]
	16	ܕܪܕܡܝܢ
	17	ܕܥܒܕܗ ܗܘܐ
	18	ܐܠܐ
	21	Omit ܕܚܠܗ
80	4	ܡܫܠܛ ܗܘܐ instead of ܗܘܐ ܡܫܠܛ
	4	ܛܥ̈ܐ
	14	ܠܟܘܢ ܘܠܗܘܢ instead of ܠܗܘܢ ܘܠܟܘܢ
	22	ܒܪ instead of ܘܒܪ
82	9	ܘܡܠܟ ܕܒܪܝܢ ܗܘܘ
	13	ܐܘ ܠܡܫܠܛܘ
	17	ܡܫܝܚ ܐܠܗܐ ܒܗ
84	8	ܕܪ̈ܚܡܝܗܝ
96	1	ܚܘܦܬ
	6	ܛܠܡܬ ܗܘ
	7	Omit ܟܠܗܘܢ ܕܛܠܡܘܬܐ
	13	ܠܝ instead of ܠܗ
	17	ܕܒܪܘܪܬܗܘܢ
	18	Omit ܠܗ
	19	ܡܫܠܛܐ ܗܘ
98	19	ܐܕܝ

Page	Line	
100	1	ܐܦ
	18	ܚܐܪܘܬܗܘܢ
	20	ܚܕܬ ܗܘܐ ܕܝܢ instead of ܚܠܠ ܡܛܠ ܕܝܢ
102	5	ܕܝܢ instead of ܕܝ
	5	Omit ܗܘܐ[3]
	6	ܕܕܐ
	12	ܦܝܠܬܐ
	22	ܠܒܪ ܗܘܐ
104	1	ܛܠܠ ܗܘܐ
	7	ܕܗܘܐ ܗܘܐ ܩܪܝܗ
	8	ܛܠܠ ܗܘ
	13	Omit ܐܦܣܩܘܦܐ ܕܐܢܛܝܘܟܝ
	17	ܘܗܘܐ instead of ܕܗܘܐ
	17	ܐܦܣܩܘܦܐ ܠܡ instead of ܠܡ ܐܦܣܩܘܦܐ
106	3	ܐܦ

APPENDIX.

The following six words, which appear in the first page of the Syriac text, are placed within brackets. They were written by a comparatively modern hand. The original text had evidently been damaged by moisture. The words are ܕܢܘܚܐ; ܕܡܫܪܢ; ܕܡܫܠܡܘܬ; ܡܠܬܐ; ܡܠܬܐ; ܬܫܪܝ.

A Collation of a leaf of the fifth or sixth century in the British Museum, numbered 14,654, f. 32, containing the story of Protonice with the same story in the Syriac text, beginning p. ܡܒ. l. 13:—

	Syriac text.	MS.
p. ܡܒ l.	16 ܐܠܗܐ	ܒܪܐ ܕܐܠܗܐ
	18 ܘܐܬܣܝܡ	ܘܐܬܬܣܝܡ
	19 ܕܠܐ	not in MS.
	20 ܣܓܝ̈ܐܐ ܠܓܒ̈ܝܢܐ	ܣܓܝ̈ܐܐ
	22 ܘܚܙܘܢ ܒܗ	ܘܚܙܘ̇ܢ ܠܗ
p. ܡܓ l.	1 ܘܥܠܝܡܘܬܗ	ܘܥܠܝܡܗ
	2 ܘܐܦ ܐܢܐ ܒܪܝ,	ܐܦ ܐܢܐ
	3 ܠܒܪ̈ܬܐ	ܠܒܪ̈ܬܟ
	6 ܕܒܥܬܗ̇	ܕܒܥܬܐ
	7 ܗܘܐ	ܗܘܘ
	13 ܢܬܒܥܘܢ	ܢܬܒܥܘܢ ܒܗ
	14 ܥܠ ܣܡ	ܥܠ ܐܢܣܡ

	Syriac text.	MS.
	15 ܘܐܥܒܣܡ ܣܡ	ܘܐܥܒܣܡ
	18 ܐܝܢܘ	ܐܝܢܐ ܗܘ
	21 ܕܫܘܒܚܐܝܬ ܘܒܢܐܝܬ	ܫܘܒܚܐܝܬ ܕܒܢܐܝܬ
	22 ܒܐܬܪ̈ܝܗ	ܒܐܬܪܝܗ
	23 ܙܩ̈ܦܐ	ܗܠܝܢ ܙܩ̈ܦܐ
	24 ܘܡܫܟܬ	ܘܡܫܟܬ ܗܘܬ
	25 ܐܠܗܐ	ܡܫܝܚܐ
p. ܝܒ l.	3 ܚܠܐ	ܚܠܢ
	4 ܕܟܠܗ	ܟܠܗ
	5 ܘܬܘܣܦ	ܘܬܘܣܦܘܢ
	6 ܢܦܫܗ	ܢܦܫܐ
	10 ܚܪܢܐ	ܐܚܪܢܐ
	11 ܐܠܗܐ	ܒܪܐ ܕܐܠܗܐ
	15 ܕܡܒܒܒ ܐܢܬ	ܕܡܒܒܒܬ
	16 ܠܒ̈ܢܝܬܟ	ܠܒ̈ܢܝܬܐ
	19 ܘܐܬܒܢܬ ܗܘܬ	ܘܐܬܒܢܬ ܗܘܬ ܪܘܚܐ
	19 ܥܡܠܬܗ	ܥܡܠܬ
p. ܝܗ l.	1 ܥܠܝܐ ܡܢ	not in MS.

ERRATA.

p. ܒ l. 18, for ܡܫܝܚܐ read ܡܫܒܚܐ.

p. ܠܘ l. 16, for ܠܓܠܘܐ read ܠܓܠܘܬܐ.

p. ܡܫ l. 14, for ܡܒܠܒܠܐ read ܒܠܒܠܐ.

CPSIA information can be obtained at www.ICGtesting.com
Printed in the USA
LVOW120227050413

327766LV00001B/36/A